使いこなし&活用術

布留川 英一［著］

Written with ChatGPT

[ChatGPTの利用・活用について]
ChatGPTはOpenAI, LLCが提供・公開する会話形式で対話できる機械学習モデルです。
ChatGPTの利用は13歳以上に限られています。また**18歳未満の方が利用する場合は親・法定後見人の許可が必要**です(2023年3月現在)。
ChatGPTの利用前には、以下のサイトの利用規約を確認してください。
https://openai.com/policies/terms-of-use
ChatGPT、OpenAI が提供するサービスを利用する際のガイドラインについては以下のサイトを参照してください。
https://openai.com/brand

本書の正誤に関するサポート情報
https://book.mynavi.jp/supportsite/detail/9784839984182.html

- 本書は2023年6月現在のChatGPTを使用しています。ChatGPT Plusの使用時はその記載も行っています。
- ChatGPTや会話側AIとの会話の出力結果は毎回異なっており、定期的に行われる会話モデルのバージョンアップによっても出力が異なります。本書に掲載されている会話結果は一例に過ぎず、再現ができないものですのであらかじめご了承ください。
- 本書は2023年6月現在の情報をもとに執筆を行っており、サービス・アプリ・プラグインなどは内容・価格が更新されたり、販売・配布が停止となることがありますのであらかじめご了承ください。
- 本書は執筆段階の情報に基づいて執筆されています。本書に登場する製品やソフトウェア、サービスのバージョン、画面、機能、URL、製品のスペックなどの情報は、すべてその原稿執筆時点でのものです。執筆以降に変更されている可能性がありますので、ご了承ください。
- 本書に記載された内容は、情報の提供のみを目的としております。したがって、本書を用いての運用はすべてお客様自身の責任と判断において行ってください。
- 本書の制作にあたっては正確な記述につとめましたが、著者や出版社のいずれも、本書の内容に関してなんらかの保証をするものではなく、内容に関するいかなる運用結果についてもいっさいの責任を負いません。あらかじめご了承ください。
-

はじめに

この本では、最新のチャット AI である **ChatGPT**（チャット ジーピーティー）の活用方法を紹介しています。

AI 技術は急速に進化し、私たちの生活や社会のあらゆる領域で重要な役割を果たすようになりました。特に ChatGPT は、人間のような自然な会話が可能であり、2022年11月にリリースされてからわずか2ヶ月で1億人のアクティブユーザー数を達成しました。今では、私たちの生活を効率化し、創造性を促進する強力なツールとなっています。

ただし、優れた能力を持っている ChatGPT ですが、指示があいまいだったり、必要な情報を与えていないと、誤った回答を返すことがよくあります。しかし、明確な指示を与え、必要な情報を提供すれば、良い回答を得ることができます。ChatGPT は、社会経験のない勉強のできる新入社員と考えると理解しやすいかもしれません。ChatGPT の能力を活かせるかどうかは、あなたの指示しだいです。

この本で ChatGPT を活用するための基礎知識や実践的なノウハウを身につけることで、人間と AI が協力して明るい未来を創り出す一助となることを願っています。

さあ、「ChatGPT」の世界へ飛び込んでみましょう。

布留川　英一

目次

Part 1 ChatGPTのはじめ方

Part 2 ChatGPTの基本

Part 3 コミュニケーション

Part 4 創作

Part 5 勉強

Part 6 仕事

Part 7 ChatGPT Plus

Part 1

ChatGPTのはじめ方

1.1 ChatGPTとは

ChatGPT とは

ChatGPT は、OpenAI が開発した最新のチャット AI です。ログインしてメッセージを入力するだけで使用できる手軽さはもちろん、人間のような自然な会話が可能であり、それが世界中で人気を博しました。2022 年 11 月にリリースされてからわずか 2 ヶ月で 1 億人のアクティブユーザー数を達成しました。ChatGPT は、研究者や専門家ではない一般の人々が人工知能を活用しはじめるためのターニングポイントとなりました。

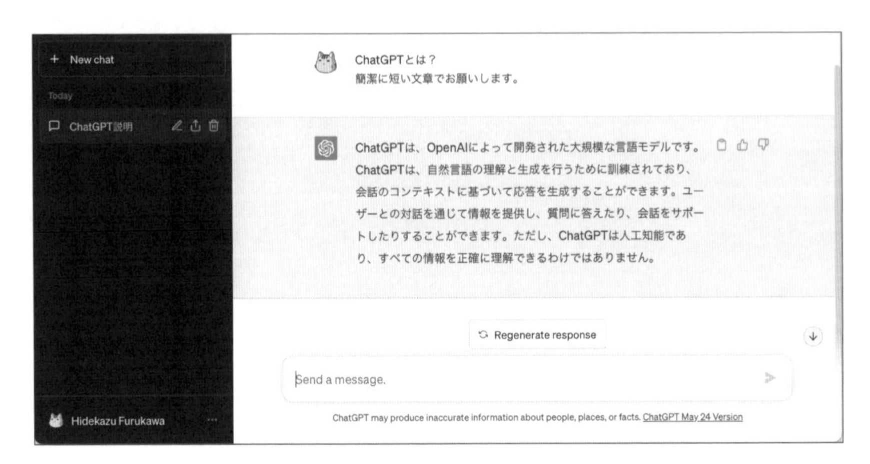

ChatGPT には、それ以前のチャット AI にはなかった優れた機能がたくさん備わっています。

・人間のような自然な会話が可能

ChatGPT は、言語のルールや文脈を理解しています。これにより人間らしい自然な表現力を持ち、高品質な対話をすることが可能になりました。ただし、不正確なことをもっともらしく言うこともあるため、情報の正確性には注意が必要です。

・日本語の会話も可能

ChatGPT は多言語に対応しており、日本語でも自然に会話できます。さらには日本語にない知識でも、英語などの他言語で知っていることであれば、日本語で回答してくれます。ただし、ChatGPT の学習データの多くは英語であり、日本語の学習量は少ないため、日本語よりも英語で質問したほうがより高精度な回答を得られます。

・さまざまな用途に利用可能

ChatGPT は、大量のデータや人間のフィードバックから学習しているため、対話だけでなく、文章生成、質問応答、要約、翻訳、プログラム生成などさまざまな用途に利用することができます。

・プログラミング言語も得意

ChatGPT はプログラミング言語も得意で、こんなプログラムを作って欲しいと頼むだけで、生成してもらうことができます。文章のような曖昧性のない分、生成されるプログラムは文章以上に高品質です。

2023 年 6 月現在、ChatGPT は 2021 年までのデータを学習していますが、今後さらに新しいデータを学習することで精度の向上や応用範囲の拡大が期待されています。このような進化により、ChatGPT は人間とコンピュータ、または人間同士のコミュニケーションの調整役となり、現在の多くの業務を代替する可能性があります。

ChatGPTのしくみ

ChatGPTが対話するためには人工知能の技術が利用されています。この人工知能は、インターネット上の膨大な文章データを学習することで、ある文章に続く次の文章を予測する能力を獲得しています。例えば、「吾輩は」と入力すると、「猫である」などの文章を出力します。

ChatGPTでは、この能力を応用し、人間の**指示**に対してどのように**応答**すべきかを予測して返答しています。

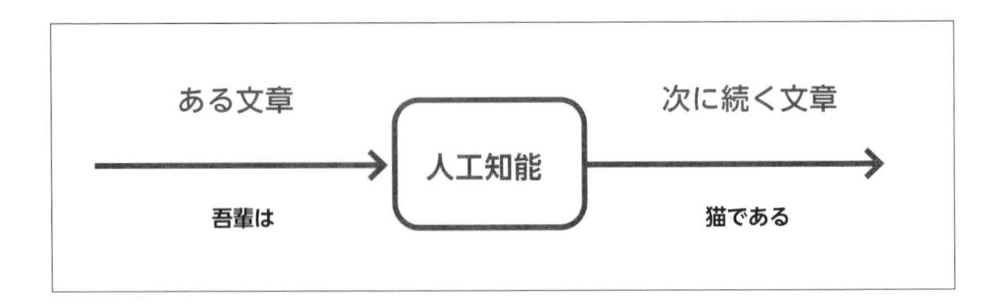

要するに、ChatGPTは人工知能によってある文章の次に続く文章を予測し、それを用いて会話を行っているのです。

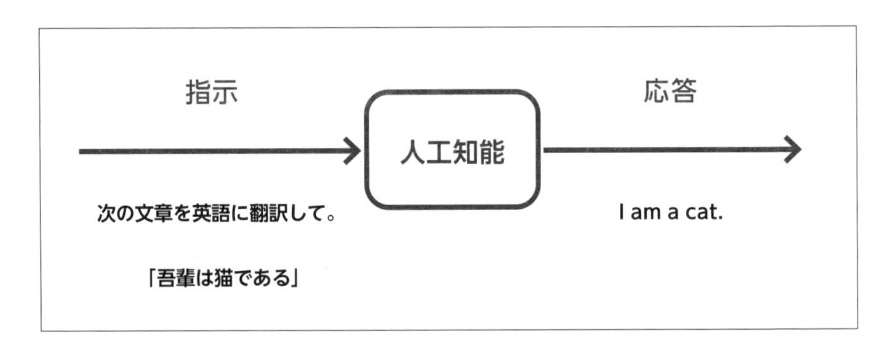

このようなしくみのため、ChatGPTは**与えられた文章を指示通りに編集すること**（要約・翻訳・校正・分類など）が得意です。与えられた文章に対してもっともらしい文章を生成しようとするため、高い正解率を持っています。

・次の文章を要約してください。
・次の文章を英語に翻訳してください。
・次の文章を校正してください。

さらに、**与えられた指示に応じてテキスト生成すること**（アイディア出し、文章作成、プログラム作成、ロールプレイなど）も得意です。事前学習された多くの知識を活用できるため、クリエイティビティを発揮することができます。

・○○なアイディアを3つ提案してください。
・○○な物語を書いてください。
・○○の登場人物になりきって会話してください。

逆に、**与えられた質問に応じて回答すること**（質問応答）は苦手です。もっともらしい回答を生成しようとするため、結果として誤った情報を提供することがあります。一般的に広く知られている情報（例：「日本の首都は東京」など）に関しては高い確率で正しい回答ができますが、回答の真実性を確認するためには最終的に人間の判断が必要です。

・○○について教えてください。

ChatGPT Plus

ChatGPT Plus は ChatGPT の有料版です。ChatGPT は無料で利用できますが、ChatGPT Plus にアップグレードすることで、より高性能な機能を利用できます。ChatGPT をたくさん使うようになったら、アップグレードを考えてみるのもよいでしょう。詳しくは『7章 ChatGPT Plus』で解説します。

1.2 ChatGPTのはじめ方

Webブラウザ版とiPhoneアプリ版

ChatGPTには、**Webブラウザ版**と**iPhoneアプリ版**があります。

・Webブラウザ版：パソコン、iPhone、Androidで利用可能

・iPhoneアプリ版：iPhoneでのみ利用可能

iPhoneで使う時はiPhoneアプリ版、それ以外で使う時はWebブラウザ版を使うと良いでしょう（2023年6月現在、Android版は提供されていません）。

Webブラウザ版のChatGPTのはじめ方

Webブラウザ版のChatGPTのはじめ方は、次のとおりです。

1. Webブラウザで ChatGPTのサイトを開き、「Try ChatGPT」をクリック。

以下のURLもしくはQRコードでChatGPTのサイトを開いてください。

・Introducing ChatGPT

https://openai.com/blog/chatgpt

2. **OpenAIアカウント**を未登録の人は、「Create your account」の画面で「OpenAIアカウント」を登録し、「OpenAIアカウント」を登録済

みの人は、「Welcome back」の画面でログイン。

「OpenAI アカウント」は、「メール」「Google アカウント」「Microsoft アカウント」「Apple アカウント」のいずれかで登録できます。

OpenAI アカウントの登録
(はじめての人)

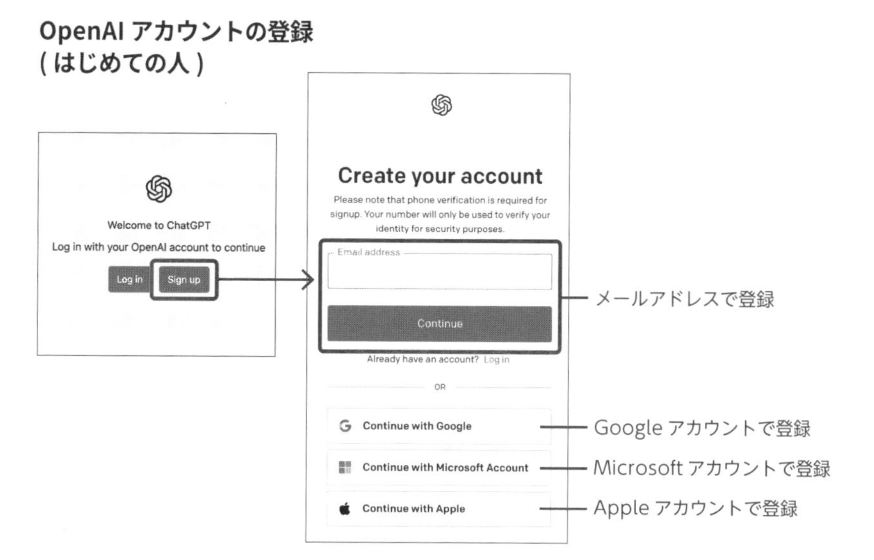

OpenAI アカウントのログイン
(2回目以降)

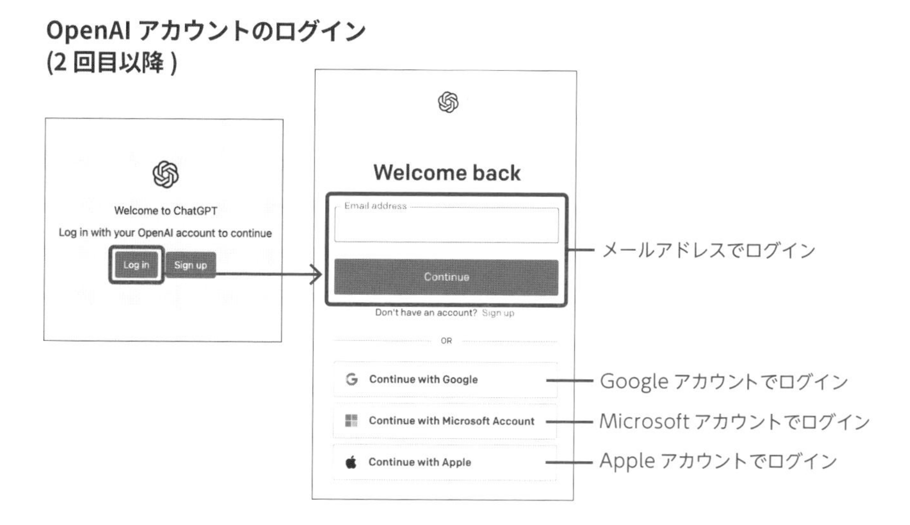

3. ログイン後は、次のような画面が表示されるので、テキストフィールドに「こんにちは、あなたの名前は何ですか？」と入力。

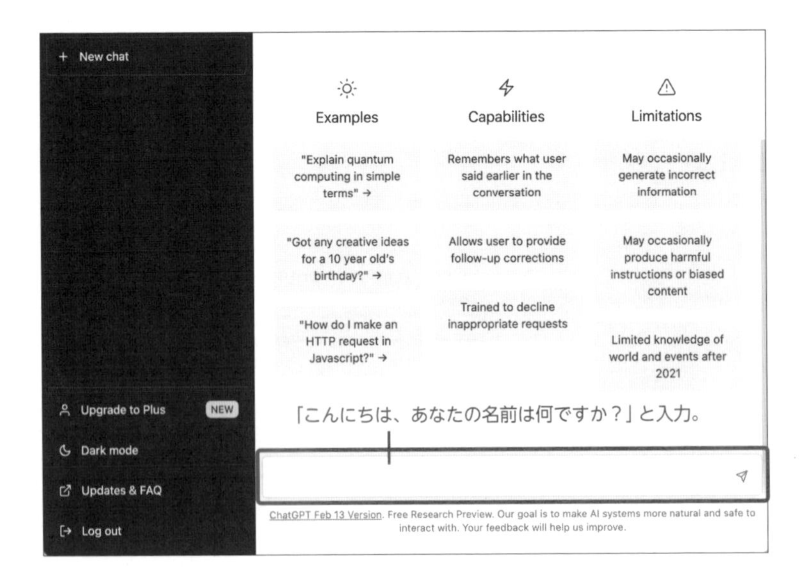

ChatGPT からの返答が返ってきます。ChatGPT の返答は、毎回同じではなく、毎回変わります。

iPhoneアプリ版のChatGPTのはじめ方

iPhone アプリ版の ChatGPT のはじめ方は、次のとおりです。

1. AppStore で ChatGPT 検索してダウンロード。

以下の QR コードで AppStore の ChatGPT のダウンロードページを開くこともできます。

・ChatGPT

https://apps.apple.com/us/app/chatgpt/id6448311069

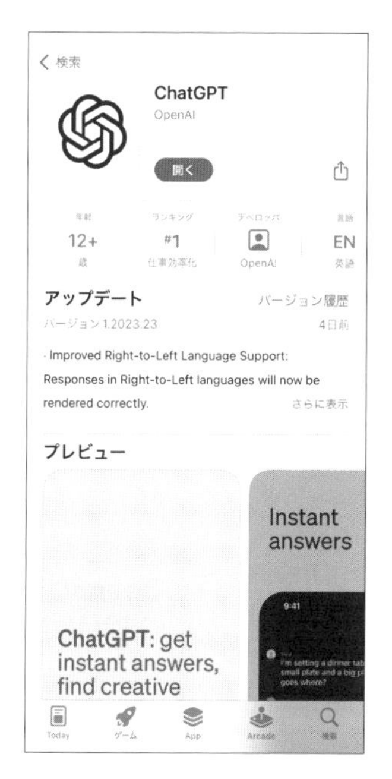

2. アプリを開き、「Login」ボタンを押す。

3. OpenAI アカウントを未登録の人は、「Create your account」の画面で「OpenAI アカウント」を登録し、OpenAI アカウントを登録済みの人は、「Welcome back」の画面でログイン。

OpenAI アカウントは、「メール」「Google アカウント」「Microsoft アカウント」「Apple アカウント」のいずれかで登録できます。

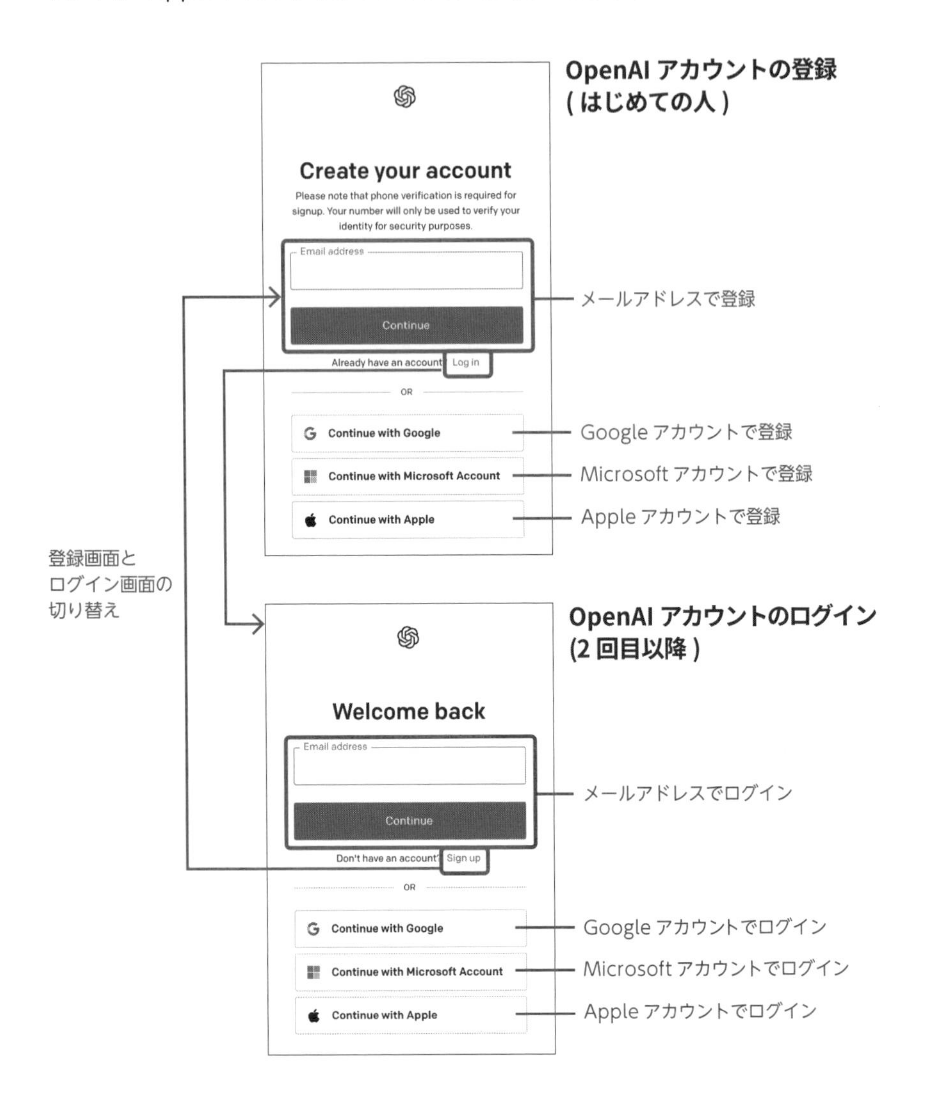

4. ログイン後は、次のような画面表示されるので、テキストフィールドに「こんにちは、あなたの名前は何ですか？」と入力。

ChatGPT からの返答が返ってきます。ChatGPT の返答は、毎回同じではなく、毎回変わります。

ChatGPTアプリの類似アプリに注意！

2023 年 6 月現在、ChatGPT の公式アプリは、このページで紹介した 2 つだけです。App Store で ChatGPT を検索すると、検索結果に類似アプリが多く表示される場合があります。意図的に似せて作られた偽アプリである可能性もあるため、注意するようにしてください。
開発元が **OpenAI** であるのを確認してから、ダウンロードすることをおすすめします。

1.3 ChatGPTの画面構成

Webブラウザ版のChatGPTの画面構成

Web ブラウザ版の ChatGPT の画面構成は、次のとおりです。

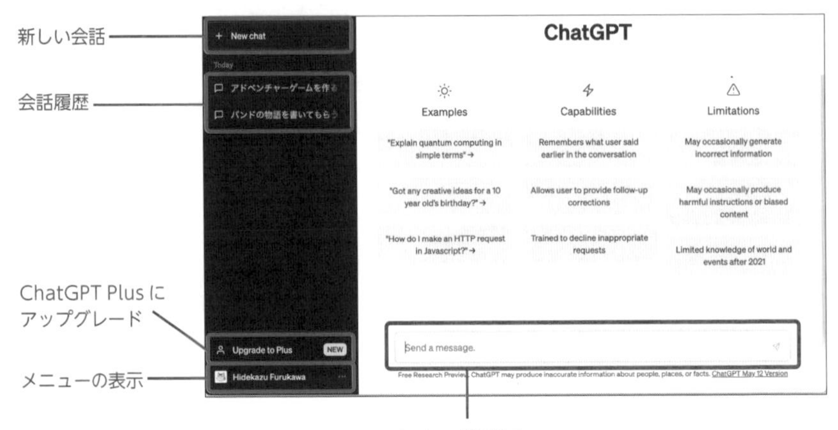

基本的な使い方は、テキストフィールドにメッセージを入力するだけです。

左上の「New chat」をクリックすると、新しい会話に移ります。「New chat」の下には会話履歴が表示され、以前の会話の閲覧および復帰ができます。

会話履歴をクリックすると、「ペン」「ゴミ箱」のアイコンが表示されます。「ペン」をクリックすると会話履歴のタイトル編集、「ゴミ箱」をクリックすると会話履歴の削除ができます。最後に、「チェック」で決定、「×」でキャンセルします。

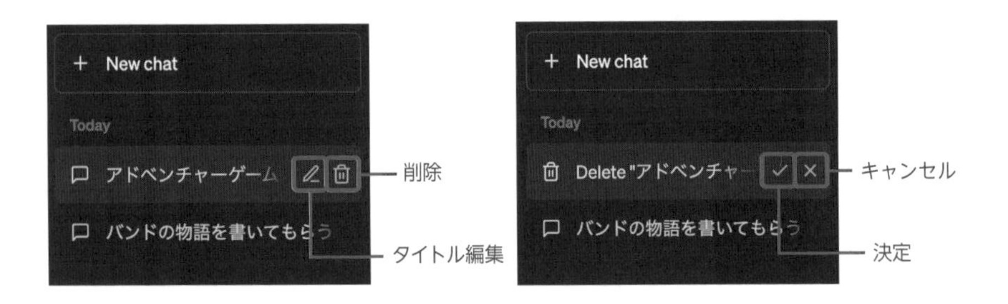

■ メニュー

左下のアカウントが表示されている場所をクリックすると、メニューが開きます。メニューには、「Help & FAQ」「Clear conversations」「Settings」「Log out」の項目があります。

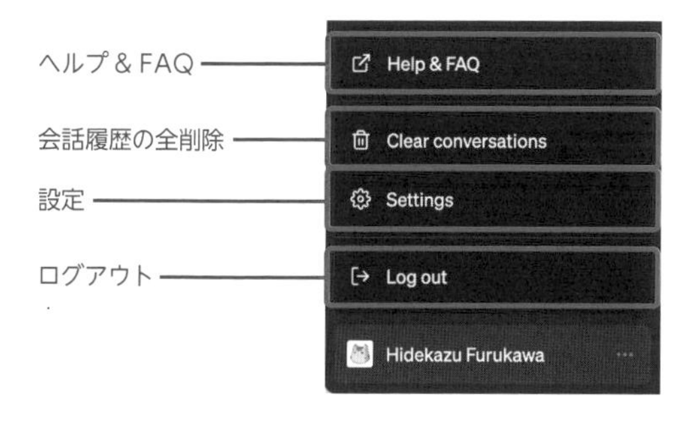

- Help & FAQ : ChatGPT のヘルプ画面の表示
- Clear conversations : 2 回クリックで会話履歴の全削除
- Settings : 設定画面の表示
- Log out : ChatGPT のログアウト

■ 設定画面

設定画面には、「General」(一般) と「Data controls」(データコントロール) の 2 つの設定タブがあります。

「General」の設定項目は、次のとおりです。

- Theme : 画面のテーマ設定 (System / Dark / Light)
- Clear all chat : 会話履歴の全削除

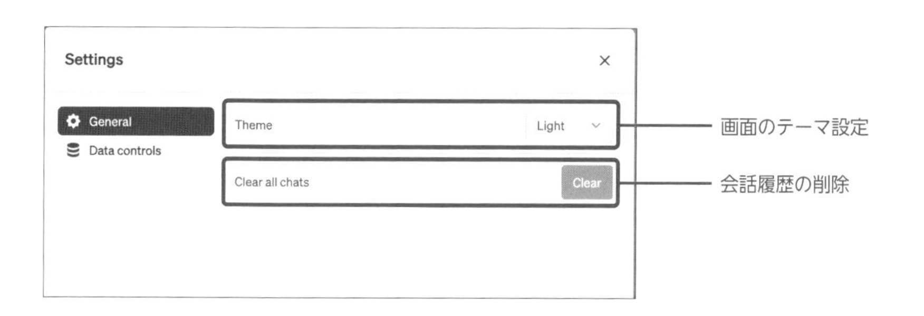

「Data controls」の設定項目は、次のとおりです。

- Chat History & Training : 会話履歴の保存と学習の ON/OFF
- Export data : データのエクスポート
- Delete account : アカウントの削除

「Chat History & Training」を OFF（灰色）にすることで、**会話履歴の記録と ChatGPT の学習への利用を無効化**することができます。ChatGPT の学習に会話履歴を利用されたくない場合は、必ず OFF に設定してください。

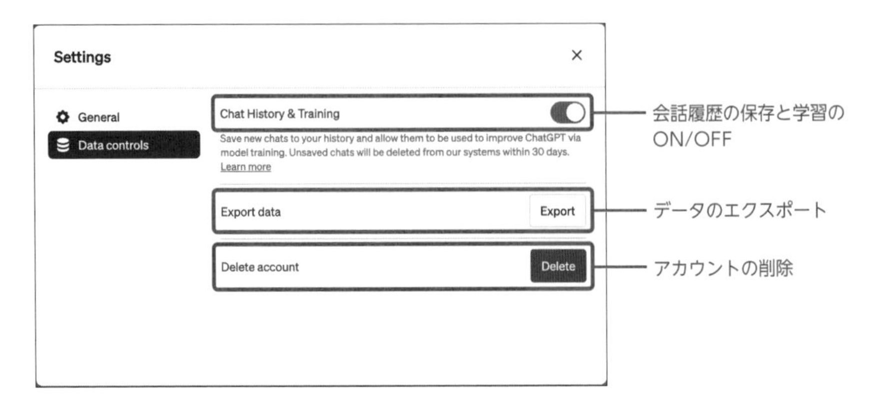

iPhoneアプリ版のChatGPTの画面構成

iPhone アプリ版の ChatGPT の画面構成は、次のとおりです。

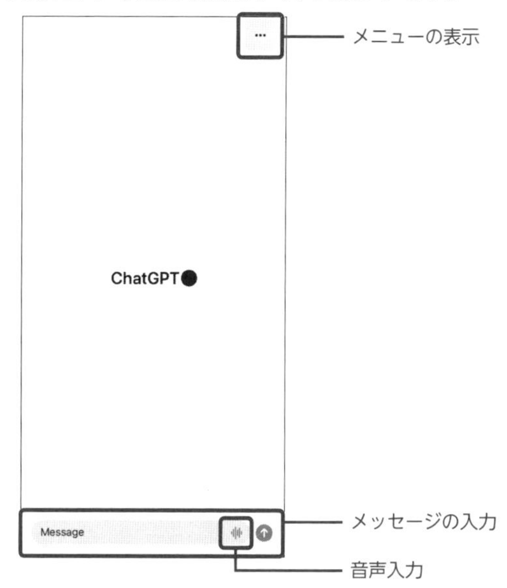

基本的な使い方は、テキストフィールドにメッセージを入力するだけです。音声入力とメニュー表示のボタンもあります。

■ メニュー

右上の「…」をタップすると、メニューが開きます。メニューには、「History」「Settings」「New chat」の項目があります。会話中の時は「Rename」「Delete」の項目も表示されます。

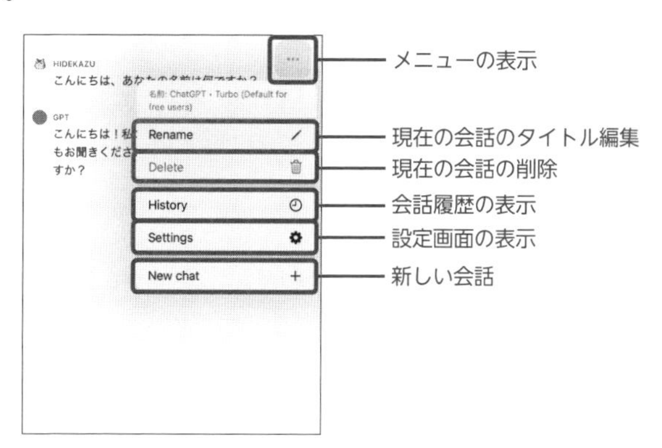

・Rename : 現在の会話のタイトル編集
・Delete : 現在の会話の削除
・History : 会話履歴の一覧の表示
・Settings : 設定画面の表示
・New Chat : 新しい会話

「New chat」をタップすると新しい会話に移ります。

「History」をタップすると会話履歴の一覧を表示されます。ここでは、以前の会話の閲覧および復帰ができます。

「Rename」をタップすると会話履歴のタイトル編集、「Delete」をタップすると会話履歴の削除ができます。

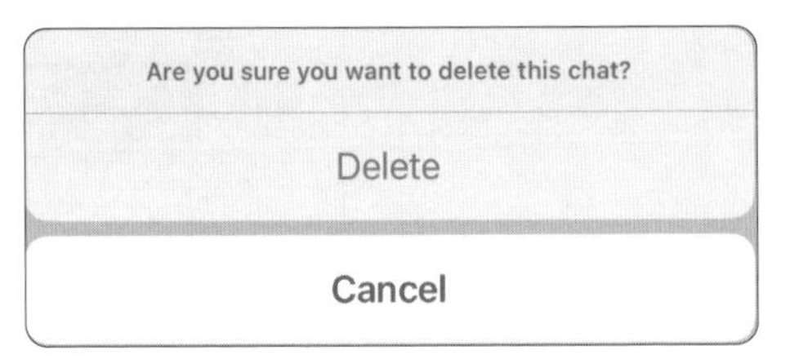

■ 設定画面

設定画面には、「Upgrade to ChatGPT Plus」(ChatGPT Plus にアップグレード) と「Data controls」(データコントロール) があります。

「Data controls」の設定項目は、次のとおりです。

- Clear History & Training : 会話履歴の保存と学習の ON/OFF
- Clear chat history : 会話履歴の削除
- Export Data : データのエクスポート
- Delete Account : アカウントの削除

「Chat History & Training」を OFF（灰色）にすることで、会話履歴の記録と ChatGPT の学習への利用を無効化することができます。ChatGPT の学習に会話履歴を利用されたくない場合は、必ず OFF に設定してください。

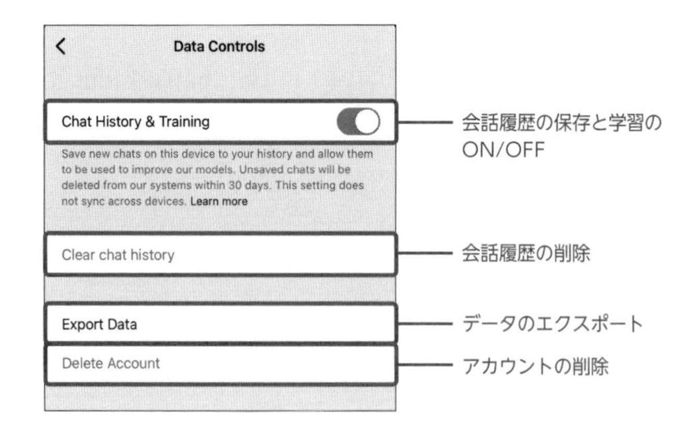
Data Controls
Chat History & Training
Save new chats on this device to your history and allow them to be used to improve our models. Unsaved chats will be deleted from our systems within 30 days. This setting does not sync across devices. Learn more
Clear chat history
Export Data
Delete Account
会話履歴の保存と学習のON/OFF
会話履歴の削除
データのエクスポート
アカウントの削除

1.4 ChatGPTへの指示力が上がるワード10選

ChatGPT は優秀ですが、ChatGPT から良い回答を引き出すには、具体的かつ明確な指示を与える必要があります。

そこで、ChatGPT への指示力が上がるワード 10 個を厳選して紹介します。

・「あなたは○○（役割・キャラクター）です」

「あなたは優しい英語の先生です」のように役割を演じさせると、専門家が答えそうな回答を返すため、結果として理想的な回答になります。

・「私は○○（自分の情報）です」

「私は小学生です」と「ChatGPT」に伝えると、小学生でもわかりやすい言葉で回答してくれます。

・「○○文字で」

ChatGPT は長文を返しがちなので、「200 文字で」のように希望する文章の長さを伝えると良いでしょう。

・「○○つ（提案数）考えて」

アイディア出しをお願いしたい時は「3 つ考えて」のように個数を指定しましょう。

・「追加で必要な情報があれば質問してください」

何かのサポートを頼んだ時、「追加で必要な情報があれば質問してください」とつけ加えることで、「ChatGPT」が名インタビュアーとしてあなたから必要な情報をあつめて、より良い提案を考えてくれます。

・「箇条書きで」

回答が長文の時は、「箇条書きで」と頼むことで、読みやすい形式で出力してくれます。

・「表形式で」

「表形式で」と頼むと、そのまま「Excel」などに張りつけられる形式で出力してくれます。

・「----」

「次の長い文章を翻訳して」のように、長い文章に対して操作を指示する時、指示と文章を「----」で区切ると、どこまでが指示で、どこまでが文章かわかりやすくなり、回答の精度が上がります。

・「ステップバイステップで」

複雑な質問に対して「ステップバイステップで」を付け加えることで、回答にたどり着くまでの過程も教えてくれるだけでなく、回答の精度が上がります。

・英語で質問

日本語で質問するより英語で質問した方が、より高精度な回答を返します。

iPhoneで使う時はiPhoneアプリ版、それ以外で使う時はWebブラウザ版を使うと良いでしょう。

これを覚えるだけでも、あなたは「ChatGPT」をかなり使いこなせるようになるでしょう。

Part 2

ChatGPTの基本

2.1 文章の要約をしてもらう

概要

要約は、与えられた文章の重要な情報を抜粋して短くまとめることです。勉強や仕事で、読みたくないほど長い文章に出くわすことがよくあります。そんな時は、ChatGPT に要約を頼んでみましょう。そうすれば、内容の概要を知ることができます。

使い方

1. ChatGPT に次のように要約をお願いします。ChatGPT は何も指示しないと長文を返しがちなので「200 文字以内」とお願いし、指示と文章の境目がわかりやすいように「空行」で分けています。今回は、「人工知能」という用語の解説を要約してもらいました。

自分 次の文章を要約してください。
200 文字以内でお願いします。

人工知能（Artificial Intelligence, AI）は、コンピューターシステムが人間の知的な能力を模倣・再現する技術や領域を指します。AI は、機械学習、ディープラーニング、自然言語処理、画像認識などの技術やアルゴリズムを利用して、問題解決や意思決定を行う能力を持つようにプログラムされたコンピューターシステムです。

bot 人工知能（AI）は、人間の知的な能力を模倣する技術であり、機械学習や画像認識などの技術を使って問題解決や意思決定を行うコンピューターシステムです。

2. それでも長すぎると思った場合は、「**もっと短く**」とお願いしましょう。

自分 **もっと短い文章でお願いします。**

bot **AI は、人間の知的能力を模倣するコンピューターシステムです。**

人間とChatGPTの共同作業

ChatGPT を使う際は、ChatGPT に仕事を完全に任せるのではなく、人間と ChatGPT が協力して行うことを心がけしましょう。ChatGPT は優秀ですが、人間からの指示があいまいだと、要求と異なる回答が返ってくることがよくあります。そのような場合には、諦めずに「こうしてほしい」と具体的にお願いしましょう。言葉のやり取りを通じて、より良い答えに近づいていくはずです。

2.2 翻訳を頼む

概要

翻訳は、日本語から英語のように、ある言語の文章から別の言語の文章に変換する作業です。実は、ChatGPT は外国生まれなので英語が得意です (実は日本語のほうが苦手)。ChatGPT さえいれば、外国の人と英語でメールのやりとりもできますね。

使い方

1. ChatGPT に次のように翻訳をお願いします。この時、何に翻訳してほしいか頼むのを忘れないようにしましょう。

自分 次の文章を英語に翻訳してください。

吾輩は猫である

bot I am a cat.

2. 翻訳は外国語だけでなく有名なものであれば方言も翻訳できます。ChatGPT は外国生まれなので怪しい大阪弁ですが、がんばってなりきってくれます。

自分 日次の文章を大阪弁に翻訳してください。

吾輩は猫である

bot ワイはほんまにねこやねんで。

3. 絵文字に翻訳することもできます。

自分 **次の文章を絵文字に翻訳してください。**

吾輩は猫である

ChatGPTとGoogle翻訳はどっちが優秀？

翻訳といえば、**Google 翻訳**が有名です。Google 翻訳ももちろん翻訳は優秀ですが、ChatGPT には、Google 翻訳にない、優秀な点があります。
1 つ目はスラングが得意なことです。標準語以外の口語の意味をよく理解してます。2 つ目は文体を指定できることです。英文をくだけた文体の日本語に訳してくださいと頼むこともできます。3 つ目はリテイクできることです。翻訳ミスを見つけたら指摘してあげると、直ちに直してくれます。

2.3 校正をしてもらう

概要

校正は、文章を修正して正確性や一貫性を確保する作業です。主に文法やスペルミス、用語の統一、文章の整理などを行います。自分が書いた文章の間違いは、本人だと見つけづらいものなので、ChatGPT にやってもらえると、とても助かります。この本の校正も手伝ってもらってます。

使い方

1. ChatGPT に次のように校正をお願いします。今回は、「楽しかった」の「っ」を忘れてました

自分 次の文章を校正してください。

今日は楽しかたです。また遊びましょう。

bot 今日は楽しかったです。また遊びましょう。

2. どこを修正したかも聞いてみましょう。

自分 どこを修正しましたか？

bot 修正した部分は以下の通りです：

「楽しかたです」を「楽しかったです」に修正しました。

修正前：今日は楽しかたです。

修正後：今日は楽しかったです。

この修正により、文法的に正しい表現になりました。

プライベートな文書を扱う時は注意！

個人的または社内のプライベートな文書をChatGPTで扱う時は、注意が必要です。
ChatGPTの学習に使われて、外部に秘密情報が漏れてしまうかもしれません。プライベートな外部に漏れては困るような文書をあつかう時は、ChatGPTの設定で「会話履歴の保存と学習をOFF」にしましょう。また、学校や会社の規則として、クラウド上に送信すること自体を禁止している場合もあります。必ず確認してから利用しましょう。

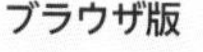

ブラウザ版

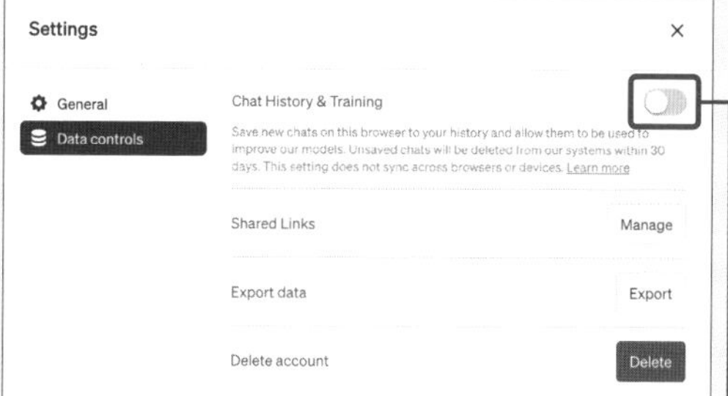

iPhone アプリ版

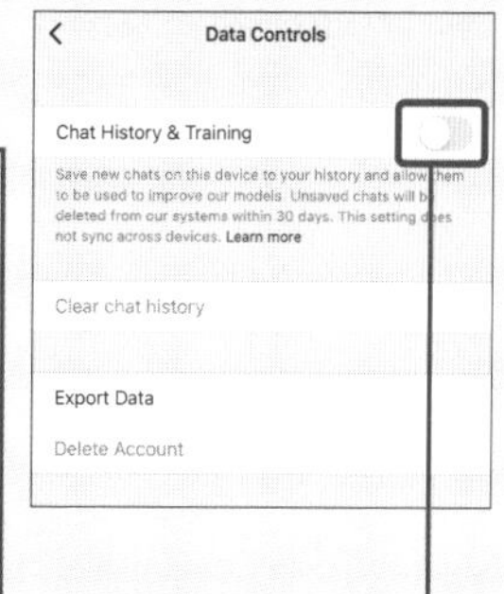

ここがOFF(灰色)であることを確認

2.4 分類・カテゴリ分けをお願いする

概要

分類は、与えられたデータを異なるカテゴリに分ける作業のことです。共通の特徴や属性に基づいて対象をまとめることで、データを整理し、理解を深めることができます。ChatGPTは、与えられたカテゴリにもとづいて、データを適切なカテゴリに分類することができます。

使い方

1. ChatGPTに次のように分類をお願いします。今回は、データ「犬」「牛」「ヒツジ」「クマ」「ウサギ」「サル」をカテゴリ「食肉」「草食」「雑食」で分類しました。

次の動物を食肉、草食、雑食に分類してください。

犬、牛、ヒツジ、クマ、ウサギ、サル。

bot 以下のように動物を分類します:

食肉:犬、クマ
草食:牛、ヒツジ、ウサギ
雑食:サル

食肉動物は他の動物を食べる肉食性の動物です。犬とクマは肉食動物に分類されます。
草食動物は主に植物や草を食べる動物です。牛、ヒツジ、ウサギは草食動物に分類されます。

雑食動物は肉と植物の両方を食べる動物です。サルは雑食動物に分類されます。

2. 犬が肉食なのは怪しいと思ったので聞いてみます。

自分 犬が肉食であってる？

bot 犬は一般的には肉食動物とされています。彼らの祖先であるオオカミは肉食性であり、犬はその祖先からの肉食的な特性を引き継いでいます。犬の消化システムは肉を消化するために適応しており、彼らの歯や爪も肉を捕らえるために適しています。しかし、現代の家庭犬は商業的に製造された犬用の食品を与えられることが一般的であり、これらの食品には肉だけでなく穀物や植物性の成分も含まれていることがあります。そのため、家庭犬は通常、雑食的な食事を摂取しています。

3. 念のためGoogle検索で確認しておきましょう。

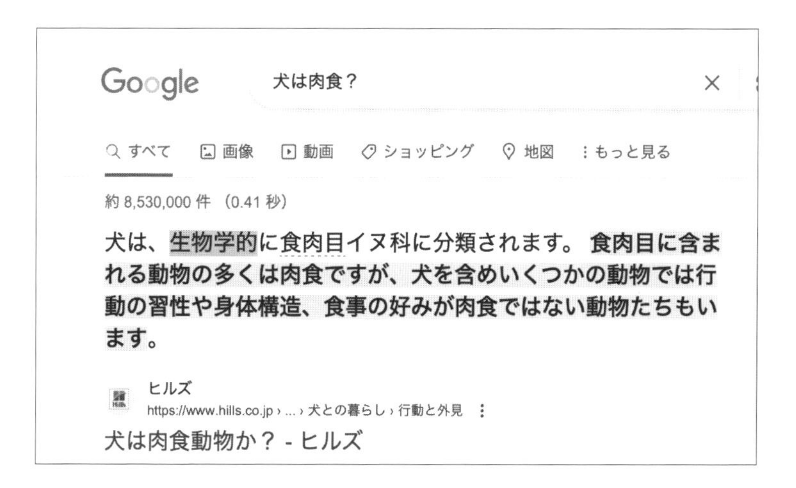

他にどんなものを分類できる？

ChatGPTでは、動物や食べ物以外でも、いろいろなものを分類できます。

・次のセリフをポジティブ、ネガティブ、または中立の感情で分類してください。
・次の数値を偶数または奇数に分類してください。
・次の国名をアジア、ヨーロッパ、アフリカ、アメリカ、またはオセアニアに分類してください。

文章から感情まで分類できるのはおどろきですね。

2.5 アイディア出しをお願いする

概要

ChatGPTは、**アイディア出し**も得意ですが、アイディアを出す際には、どんな条件を設けるかが重要です。条件がない場合、ChatGPTは事前学習した広範な知識から一般的なアイディアを提案し、平凡で面白みのないものになる可能性があります。面白いアイディアを引き出すためには、人間がそれを引き出すための条件を与える必要があります。人間が考えた条件をもとに、ChatGPTは連想力を活かしてこれまでにないアイディアを生み出します。

使い方

1. ChatGPTに次のように「アイディア出し」をお願いします。今回は、レストランのコンセプトを3つ考えてもらいました。アイディア出しの場合は、この「いくつ」という数の指定が大事になります。

自分 新しいレストランのコンセプトを3つ考えてください。

bot 以下は、新しいレストランのコンセプトのいくつかのアイディアです。

1. ヘルシーハーベスト：ヘルシーで栄養価の高い食材に焦点を当てたレストラン。オーガニックや自然食材を使ったメニューやヴィーガンオプションを提供し、健康的な食事を楽しめます。
2. グローバルフュージョン：世界中の料理を融合させたユニークな味わいを提供するレストラン。異なる文化の料理を組み合わせた創作メニューやグローバルな雰囲気が特徴です。
3. ファンシーシーフード：高級で洗練されたシーフード料理を提供するレストラン。新鮮な魚介類を使ったシーフードスペシャリティやシェフのこだわりの料理を味わえます。

これらのコンセプトは、異なる食のテーマや雰囲気を持つレストランをイメージしています。

2. 「秋葉原」という場所の条件を付けてみます。

新しいレストランのコンセプトを 3 つ考えてください。場所は秋葉原です。

以下は、秋葉原における新しいレストランのコンセプトのいくつかのアイディアです。

1. テクノカフェ：テクノロジーとカフェの融合をテーマにしたレストラン。最新のガジェットや VR 体験を楽しむことができるだけでなく、美味しいコーヒーや軽食を提供します。
2. アニメグルメハウス：アキバのアニメ文化にインスパイアされたレストラン。有名アニメや漫画のキャラクターグッズやポスターが飾られ、アニメテーマの料理やドリンクが楽しめます。
3. フューチャリスティック・フードハブ：最新の食品技術と持続可能性を組み合わせた未来志向のレストラン。人工知能による注文システムや 3D プリンターで作られる食品など、革新的な体験を提供します。

これらのアイディアは、秋葉原の独特な文化や客層を考慮しています。

役になりきってアイディア出し

アイディア出しの条件の 1 つに、ChatGPT に役になりきってもらうというものがあります。「あなたは女子高生です。新しいお菓子の名前を 3 つ考えてください。」と「あなたは 50 代男性です。新しいお菓子の名前を 3 つ考えてください。」では、でてくるアイディアも変わってきます。ぜひ、試してみてください。

2.6 文章作成を依頼する

概要

ChatGPT は、文章作成が一番得意です。この文章作成が特に役立つのが、返答や返信に困るメッセージをもらって、どう返そうか困っている場面です。

そんな時は、ChatGPT に現在の状況を教えることで、どのような言葉で返答や返信すればよいか、文章作成してくれます。

使い方

1. ChatGPT に次のように文章作成をお願いします。現在の状況を詳しく教えましょう。

自分 私は高校 3 年生です。
学校の先生に「あなたの夢の一つを教えてください。」と言われました。
私には特に夢はないです。
何と答えれば良いですか？

bot 先生に対して正直に、自分にはまだ明確な夢がないことを伝えることが一つの答えです。以下はそのような返答の一例です。

「実は、私にはまだ具体的な夢がありません。将来について考えることはありますが、まだ自分自身が何を本当に追い求めたいのか、何に情熱を傾けたいのかを見つけるために、さらなる探求や経験が必要だと感じています。学校や周りの人々との学びの中で、新しい興味や関心が生まれ、そこから自分の夢を見つけることができるかもしれません。だから今は、夢を見つけるための自分自身の成長に焦点を当てています。」

2. 良いアドバイスをもらったらお礼をいいましょう。ChatGPT も喜んでくれます。

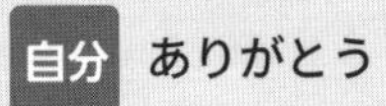

自分 ありがとう

bot どういたしまして！もし将来についての具体的な夢や目標が浮かんできたら、それを追求するための行動を起こすことも大切です。自分自身の成長を続けながら、興味や情熱を追求していくことで、素晴らしい未来を築くことができるでしょう。頑張ってください！もし他に何か質問やお困りごとがあればいつでもお聞かせください。

ChatGPTの記憶はリセットされる

ChatGPT は「New Chat」ボタンで次の会話に移りますが、その際、ChatGPT の記憶はリセットされます。そのため、毎日話していても、ChatGPT はあなたのことを覚えていません。プライベートな質問をする時は、あなたが何者であるか、どんな状況であるのかを説明するようにしましょう。どんな人かわかると、ChatGPT もアドバイスしやすくなります。

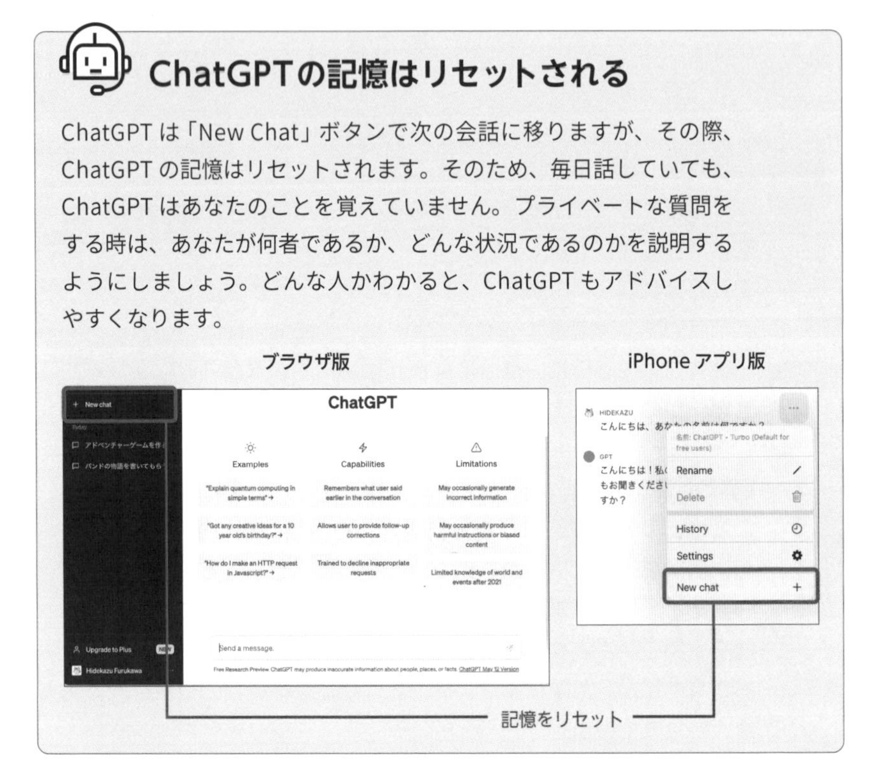

2.7 プログラムを作ってもらう

概要

ChatGPT は、人間の言語だけでなく**プログラミング言語**も理解できます。プログラミング言語は、コンピュータに作業を指示する際に使用する言語です。複雑なプログラムはまだ難しいですが、簡単なプログラムであれば、人間の言葉で指示をすることで ChatGPT に作成してもらうことができます。最近では、小中学校でのプログラミング教育も始まっており、一般的な教養として触れる機会も増えています。プログラミング言語に触れたことがないけれども、始めてみたいという方は、ChatGPT に教えてもらうこともおすすめです。

使い方

1. ChatGPT に次のようにプログラミング作成をお願いします。この時、具体的なプログラミング言語を指定するのがポイントです。人間の言語がいろいろ (日本語や英語など) あるように、プログラミング言語もいろいろあるため、どの言語を使うか指定しないと、どれで作って良いのかわかりません。今回は、Python というプログラミング言語でサイコロをふるプログラムをお願いしています。

自分 **サイコロをふる Python プログラムを作成してください。**

bot **以下は、Python でサイコロを振るプログラムの例です。**

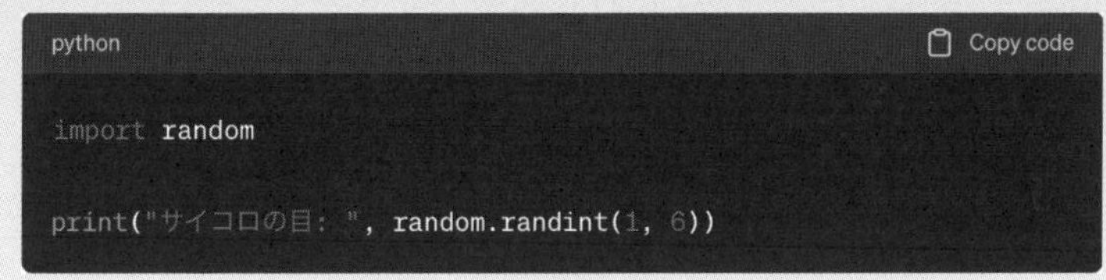

python
Copy code
import random
print("サイコロの目: ", random.randint(1, 6))

このプログラムでは、random モジュールの randint 関数を使用して 1 から 6 までのランダムな整数を生成します。
このプログラムを実行すると、サイコロの目がランダムに表示されます。
何度かプログラムを実行すると、異なる目が得られるはずです。

2. 作成したプログラムをプログラムの実行環境で動作確認します。以下では、Python なので、**Google Colaboratory** という無料のプログラミングの実行環境を使用しています。

```
1 import random
2
3 print("サイコロの目: ", random.randint(1, 6))

サイコロの目:  5
```

無事、サイコロをふり、「サイコロの目 : 5」が表示されました。

3. 今回は 1 回で成功しましたが、エラーが出たらその修正方法を教えてもらうこともできます。試しに、「random」の「m」をわざと取ってエラーにしてみました。

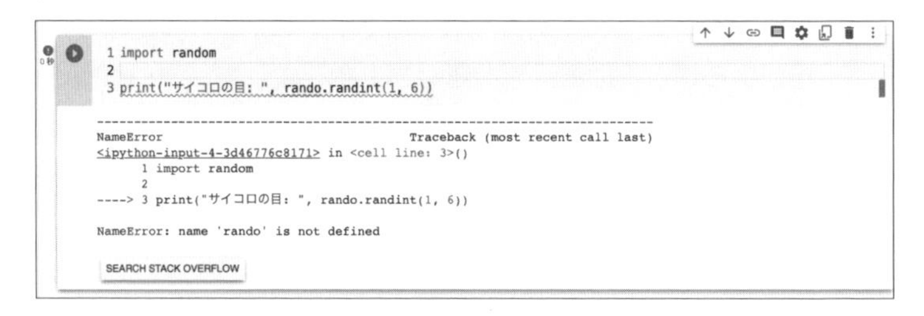

4. エラーの直し方を ChatGPT に聞いてみます。

自分

「NameError: name 'rando' is not defined」というエラーがでます。
以下のプログラムを修正してください。

```python
import random
print(" サイコロの目 : ", rando.randint(1, 6))
```

bot プログラムのエラーメッセージによると、rando という名前は定義されていないとのことです。
実際には random モジュールの randint 関数を使用する必要があります。

以下は修正されたプログラムです。

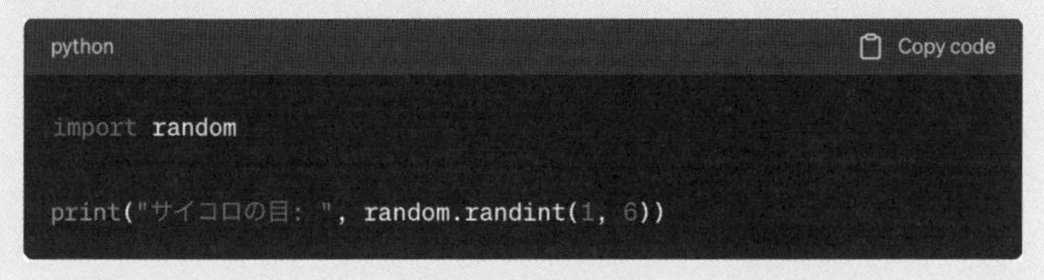

python
Copy code
import random
print("サイコロの目: ", random.randint(1, 6))

これにより、random.randint(1, 6) が正しく呼び出され、1 から 6 までのランダムな整数が表示されるはずです。

``` で囲むと、ChatGPT はそこがプログラムであると認識しやすくなります。これは「Markdown」と呼ばれる書き方で、インターネット上のドキュメントでプログラミングを記述する時に、よく使われる表記になります。

また、` は**バッククォート（バッククオート）**と呼ばれる文字で、パソコンのキーボードでは「Shift+@」で入力できます。

### どんなプログラムでも作れるの？

ChatGPT は、事前学習した知識を活用してプログラムを作成します。そのため、「文字列を分割する」や「ファイルを読み込む」といった一般的なプログラムの部品を作るのには得意ですが、これまでにないオリジナルなプログラムを作成するのは難しいです。
ChatGPT は、人間がプログラムを作成する際のアシスタントとして活用すると良いでしょう。よく使われるプログラムの部品を作成したり、エラーの修正方法を教えてもらったり、理解できないプログラムを解説してもらったりすることができます。
```

2.8 ロールプレイ/キャラクターを演じてもらう

概要

ChatGPT は**ロールプレイ**も得意です。ロールプレイとは､特定の役割やキャラクターを演じることです｡ChatGPT に歴史上の人物や物語上のキャラクターと会話したり、親友の役割を演じてお悩み相談に乗ってもらったりすることができます。

理想の会話相手を演じてもらうことで、楽しい時間を過ごすことができます。

使い方

1. ChatGPT に次のように親友を演じてもらい、お悩み相談してみます。普段の ChatGPT のセリフは長くて堅苦しいので、口語体で 30 文字以内としています。

自分 あなたは私の親友です。
あなたの口調は口語体で必ず 30 文字以内にしてください。
あなたの最初のセリフは「どうしたの？」です。

bot どうしたの？なにか悩み事でもあるのかな？話してみて、できるだけ力になるよ。

自分 学校行きたくない

bot どうしたの？学校行きたくない理由があるのかな？話してみて、できるだけ力になるよ。

自分 疲れた

bot 疲れたんだね。学校や他のことで疲れちゃったのかな？少し休んで、リフレッシュする時間を取るのも大切だよ。ゆっくり休んで、また元気になろうね。

自分 ありがとう

bot どういたしまして。いつでも話を聞くので、困ったことや悩みがあったら気軽に話してね。お互い支え合いながら、乗り越えていこう。一緒に頑張ろうね！

今回は、簡単に「私の親友」としましたが、もっと条件を付けることで自分だけの理想の会話相手を演じてもらうことができます。

専門家を演じてもらおう

ChatGPT は、大量の文章を事前学習してその知識を活用しています。そのため、専門家の役割を演じさせると、専門家が答えそうな回答を返すため、結果として理想的な回答になります。優しく英語の採点をしてもらいたい場合は、「あなたは優しい英語の先生です」、漫画の企画のアドバイスしてもらいたい場合は、「あなたは優秀な漫画の編集者です」と指示しましょう。さまざまな専門家の役割を ChatGPT に演じさせてみることで、より良いアドバイスや回答を得ることができます。

2.9 質問応答

概要

質問応答は、「〇〇を教えて」のような質問に対して回答することです。ChatGPTの活用方法の定番ですが、もっともらしい回答を生成しようとするため、結果として誤った情報を提供することがよくあります。回答の真実性を確認するためには最終的に人間の判断が必要です。

使い方

1. ChatGPTに次のように質問します。今回は、「人工知能とは？」を質問してみました。一般的に広く知られている情報（例：「日本の首都は東京」など）に関しては高い確率で正しい回答ができます。また、ChatGPTは2021年までのデータしか学習してない(2023年6月現在)ため、最近の事については答えられません。

自分 **人工知能とは？**
200文字以内でお願いします。

bot **人工知能（AI）は、コンピューターシステムやプログラムが、人間の知的な活動を模倣する能力を指します。これには、問題解決、学習、意思決定、音声や画像の認識などのタスクを含みます。AIはデータとアルゴリズムを使用して、自己学習やパターン認識を行い、人間の知識や経験を超えることがあります。**

この回答は正解です。

2. わざと存在しないキャラクターの名前を聞いてみます。ChatGPTは、人の名前や作品名など固有名詞に弱いです。

自分 「となりのトトロ」のお父さんの弟の名前は？

bot 「となりのトトロ」のお父さんの弟の名前は「キクヨウジ」です。映画の中で、お父さんの弟であるキクヨウジは都会から田舎の家に遊びにやってきます。彼は木の精霊やトトロたちとの交流を通じて、姪たちであるメイとサツキとともに不思議な冒険を経験します。

3. この回答は怪しいので「Google検索」してみます。そんなキャラクターはいませんでした。

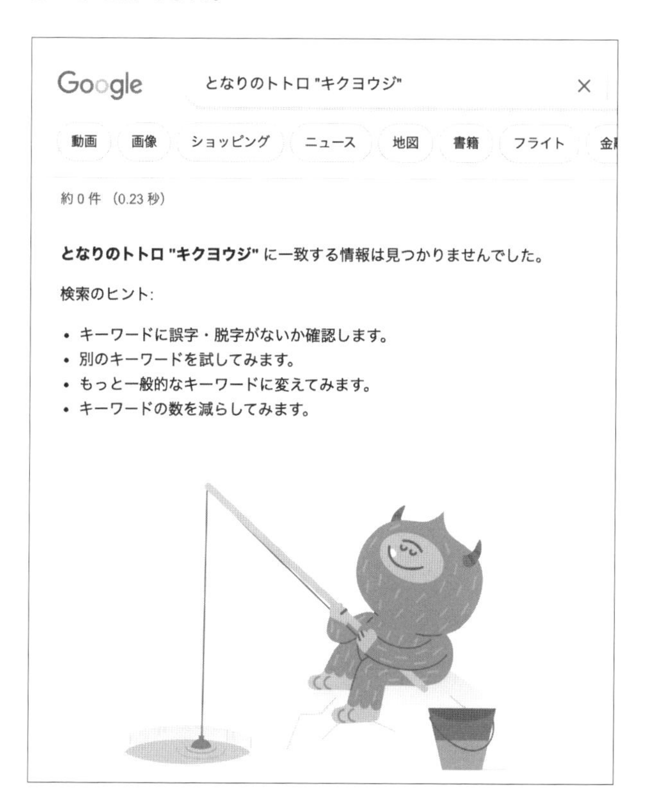

質問回答するならChatGPT Plus

ChatGPT は質問応答が苦手です。しかし、有料の ChatGPT Plus であればChatGPT 自身がインターネットを検索できるため、より良い回答を返してくれます。

「となりのトトロ」のお父さんの弟の名前は？

「となりのトトロ」に関する情報を調査しましたが、お父さんの弟、つまりメイとサツキの伯父についての情報は見つかりませんでした。映画自体にもそのようなキャラクターは登場していないと思われます。もし具体的な情報源やコンテクストがある場合、それを教えていただけるとより具体的な情報を提供できるかもしれません。

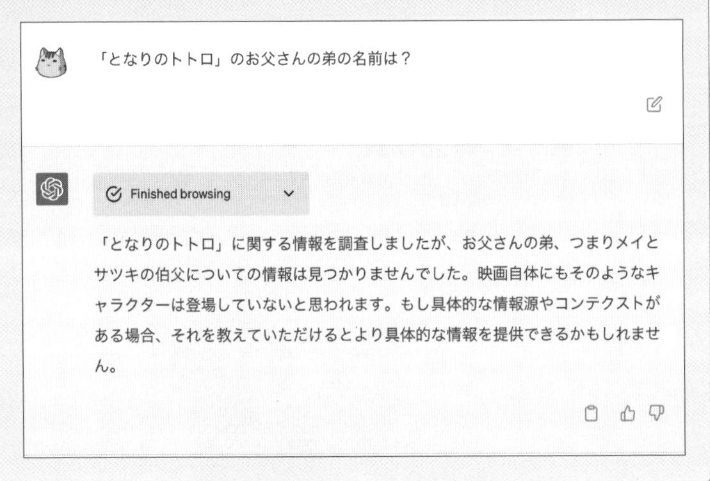

2.10 ステップバイステップで考えてみよう

概要

ChatGPTのように「任意の文章に続く次の文章を予測する」人工知能は自然な文章を作るのが得意ですが、数学のような論理的な思考を組み合わせるのが苦手とされていました。

しかし、質問の最後に**「ステップバイステップで考えてみよう」**を付け加えることで、回答にたどり着くまでに至った過程も教えてくれるだけでなく、問題の正答率が上がることが発見されています。

使い方

1. ChatGPTが苦手な計算問題を質問してみます。正解は4個なので間違いです。ChatGPTは日に日に頭が良くなってるため、正解率が上がってるかもしれません。

bot 16個のボールがあります。その半分はゴルフボールで、ゴルフボールの半分は青いです。
青色のゴルフボールの数はいくつでしょう。

自分 2個です。

2. 質問の最後に「**ステップバイステップで考えてみよう**」を付け加えます。段階的に推論し、正解の4個を導き出しました。

自分 16個のボールがあります。その半分はゴルフボールで、ゴルフボールの半分は青い
です。青色のゴルフボールの数は幾つでしょう。
ステップバイステップで考えてみよう。

bot まず、与えられたボールの数は16個です。
次に、その半分はゴルフボールであるため、8個のボールはゴルフボールです。
さらに、ゴルフボールの半分は青いということなので、ゴルフボールのうち青いボールの数は4個です。
したがって、答えは4です。

いきなり答えを出そうとすると間違いやすく、一歩一歩考えると正解率が上がるのは、人間と同じですね。

ChatGPTが作成したものを責任を持って選ぶ

ChatGPTは優秀ですが盲信してはいけません。ChatGPTが作成したものを採用するかどうかの責任は人間にあります。今後、人工知能の発展によって、さまざまな仕事を人工知能が肩代わりするようになった時、人間に残された最後の仕事は「それを採用するかどうかの責任を担う」ことになることでしょう。

Part 3

コミュニケーション

3.1 物語の登場人物と話してみる

概要

ChatGPT はロールプレイが得意です。物語を聞かせることで、「物語の登場人物」や「本の作者」になりきって会話してもらうこともできます。

さらに、「桃太郎」のような、誰もが知っている有名な話であれば、すぐにロールプレイを始めることができます。それでは、はじめてみましょう。

使い方

1. ChatGPT に鬼退治から返ってきた「桃太郎」を演じてもらいましょう。

自分 あなたは桃太郎です。鬼退治から返ってきました。
あなたの口調は口語体で必ず 30 文字以内にしてください。
あなたの最初のセリフは「ただいま帰りました」です。

bot ただいま帰りました。鬼退治が無事に終わりました。

2. 桃太郎さんと対話してみます。

自分 おかえりなさい、桃太郎さん。鬼退治はどうでした？

bot ただいま！鬼退治は順調に進みました。鬼どもを一網打尽にしましたよ！

自分 今お供の方はどこにいるのですか？

bot 今は鬼退治の舞台から少し離れた場所にいます。新たな冒険のために休息しています。

自分 桃太郎さんはこれからどうするのですか？

bot 桃太郎としては、次の冒険に向けて準備を進める予定です。新たな問題や困難に立ち向かい、人々を助けるために奮闘します！

自分 ご武運を祈ります。

bot ありがとうございます！お言葉に感謝します。力強いご祈念を胸に、新たな冒険に向かいます。皆さんの応援に支えられています！

桃太郎さん帰ってきたばかりなのに、すぐに次の冒険に向かうなんて、すごいバイタリティですね。

オリジナルの物語の登場人物と会話するには？

オリジナルの物語の登場人物と会話するには、ChatGPT に物語を聞かせてからなりきってもらいましょう。ぜひ、試してみてください。

3.2 人称と語尾を変える

概要

ChatGPT との会話は楽しいですが、言い回しが丁寧すぎて堅苦しいので、もっとくだけた会話がしたいです。そんな時は、**人称**(ボク、オラ、あたし等)や**語尾**(にゃん、なのだ、アル等)を変えてもらいましょう。

「人称」や「語尾」を変えてとお願いしただけなのに、ノリノリに役を演じるChatGPT が素敵ですね。

使い方

1. ChatGPT に「ボク」の人称で話すよう頼みます。

自分 「ボク」という人称で話してください。

bot 了解です。「ボク」という人称でお答えします。どのようなご質問がありますか？

自分 こんにちは、あなたの名前は？

bot こんにちは、ボクの名前は ChatGPT です。ご質問やお話がありましたら、どうぞお申し付けください。どのようにお手伝いできますか？

2. ChatGPT に「にゃん」の語尾で話すよう頼みます。

自分 語尾に「にゃん」を付けてください。

bot 了解です、ボクにゃん。どのようにお手伝いできるにゃんか？ご質問やお悩みなど、なんでもお聞かせくださいにゃん。
ボクにゃんはできる限りお助けするにゃん！

自分 ネコは1日何時間くらい寝るの？

bot ネコにゃんは一般的には非常によく寝る動物ですにゃん。成猫のネコにゃんは、一日に約15〜16時間以上も寝ることがありますにゃん。ただし、個体によっても寝る時間は異なる場合がありますにゃん。また、状況や環境によっても変動することがありますにゃん。

人称と語尾

日本語は、「人称」と「語尾」の変化によってニュアンスが大きく変わる不思議な言語です。これらは、会話のリズムや感情を表現する重要な要素で、チャットAIをキャラクター付けする手法として、よく使われます。自分の好みの人称と語尾を、ChatGPTにお願いしてみましょう。

3.3 夕飯の献立の相談をする

概要

夕飯の献立を何にするかは、なかなか決まらないものです。昨日何を食べたか、冷蔵庫にある食材、子供たちの好みと健康に考慮すべき要素が意外とたくさんあります。

そんな時は、ChatGPT に相談してみると良いでしょう。

使い方

1. ChatGPT に、夕飯の献立を何にするかを考えるサポートをお願いします。

自分 あなたはママ友です。
私が夕飯の献立を何にするかを考えるのをサポートしてください。
追加で必要な情報があれば質問してください。

bot もちろんです！夕飯の献立についてお手伝いできますよ。まず最初に、何か特別な制約や好みがありますか？食材の制限やアレルギー、特定の料理の希望など、教えていただけると助かります。また、その日の気分や季節、手軽に作れるかどうかなども考慮して献立のアイディアを提案しますので、具体的な希望があれば教えてください。

2. ChatGPT に、思いついた条件を話していきます。

自分 夫、私、10 歳と 6 歳の子供の 4 人分です。
子供たちはピーマンなど苦いものが苦手ですが、野菜を食べさせたいです。
昨日の夕飯は餃子でした。

bot ありがとうございます。了解しました。子供たちが野菜を食べることができるような献立を考えましょう。

メインディッシュとして、以下のアイディアがあります：

1. チキンの照り焼き：鶏肉を照り焼きソースで煮込み、ご飯や野菜と一緒に提供します。野菜は、子供たちが苦手なピーマンではなく、甘みのある人参やパプリカなどを添えると良いでしょう。
2. マリネサーモンのグリル：サーモンをマリネしてグリルし、レモンの風味を添えます。子供たちはサーモンの柔らかい食感と風味を楽しめるはずです。野菜としては、グリルしたズッキーニやトマトを添えると良いでしょう。
3. タコス：牛ひき肉や鶏ひき肉で作ったタコスを提供します。トッピングとしては、トマトやレタス、チーズ、サワークリームなどの野菜を用意しましょう。子供たちは自分でトッピングを選ぶ楽しさを味わえます。
4. ビーフストロガノフ：牛肉をクリームソースで煮込み、ご飯やパスタと一緒に提供します。野菜は、人参やマッシュルームを使用すると、子供たちも受け入れやすいかもしれません。

これらのアイディアは、子供たちが苦手なピーマンを避けつつも、野菜を取り入れることができるメニューです。また、昨日の餃子とは異なるタイプの料理ですので、バラエティを出すこともできます。

3. 冷蔵庫の余り物を使いたいのを思い出したので、それも聞いてみます。

自分 冷蔵庫にある玉ねぎとジャガイモも使いたいです。

bot 素晴らしいです！玉ねぎとジャガイモを使った献立のアイディアを提案します。

1. ポテトサラダ：ジャガイモを茹でて、粗くつぶし、みじん切りにした玉ねぎと混ぜます。マヨネーズやマスタード、塩、こしょうで味付けし、好みでハーブやピクルスを加えます。彩りにトマトやキュウリを添えるとさらに美味しくなります。
2. オニオンスープ：玉ねぎを薄切りにし、バターで炒めます。ブイヨンや鶏ガラスープと一緒に煮込み、トーストしたパンをのせて溶けたチーズをトッピングします。温かいスープで体を温めることができます。
3. ローストポテトとオニオンチキン：ジャガイモをくし形に切り、オリーブオイル、塩、こしょう、ローズマリーなどで味付けし、オーブンでローストします。同時に、鶏肉を焼き、玉ねぎを炒めてトッピングします。美味しくてヘルシーな一皿です。
4. ポテトグラタン：ジャガイモを薄くスライスし、玉ねぎと交互に重ねます。ホワイトソースやチーズを加え、オーブンで焼きます。とろけるチーズとジューシーなポテトの組み合わせが絶品です。

これらのアイディアでは、玉ねぎとジャガイモを有効活用して、美味しい料理を楽しむことができます。お好みや手軽さに合わせて、選んでみてください。どのアイディアが気に入りましたか？それとも他に何か希望がありますか？

ありがとうございます。
ビーフストロガノフとポテサラにしてみます。

素晴らしい選択です！ビーフストロガノフとポテトサラダの組み合わせは、バランスの取れた食事になります。それぞれの料理を楽しんでください！

ChatGPTは名インタビュアー

夕飯の献立は、ChatGPTに「アイディア5個考えて」とお願いしても、なかなか良いアイディアはでてきません。これは、夕飯の献立として何が良いかは、「昨日何を食べたか」「冷蔵庫にある食材は何か」など、さまざまな要素によって変わるためです。何かのサポートを頼んだ時、「追加で必要な情報があれば質問してください」とつけ加えることで、「ChatGPT」が名インタビュアーとしてあなたから必要な情報をあつめて、より良い提案を考えてくれます。

3.4 誕生日プレゼントの相談をする

概要

誕生日のプレゼントを何にするかも、なかなか決まらないものです。相手が喜んでくれそうなものが良いですが、毎年同じだと面白みがありません。

そんな時も、ChatGPT に相談してみると良いでしょう。思いがけないアイディアが見るかるかもしれません。

使い方

1. ChatGPT に、誕生日のプレゼントを何にするかを考えるサポートをお願いします。

自分

あなたは親友です。
私が母親の誕生日プレゼントを何にするかを考えるのをサポートしてください。
追加で必要な情報があれば質問してください。

bot

もちろんです、喜んでお手伝いします！まず、母親の好みや趣味について教えていただけますか？それによって、具体的なアイディアを考えることができます。
また、予算の範囲や、何か特別な思い出や関連性のあるものを贈りたいかどうかも教えていただけると助かります。具体的な情報があれば、より適切なアイディアを提案することができますので、どんな情報でも結構です。

2. ChatGPTに、今思っていることを話していきます。

自分

予算は5000円です。
母親はネコが好きです。
去年は猫柄のハンカチをあげました。
今年は別のプレゼントをあげたいと思います。

bot

ありがとうございます。予算と母親の好みに基づいて、いくつかのアイディアを提案します。

1. 猫のデザインが施されたアクセサリー：猫のモチーフが入ったネックレス、ブレスレット、またはピアスなどのアクセサリーを考えてみてはいかがでしょうか？猫好きなら喜んで身につけることができるでしょう。
2. 猫の形をしたクッションやぬいぐるみ：ネコ好きの方に人気のあるアイテムです。リビングや寝室に飾ることができ、癒しの雰囲気を与えることができます。
3. 猫のカレンダーや手帳：日常のスケジュール管理に使えるアイテムとして、猫のカレンダーや手帳は喜ばれるかもしれません。猫の写真やイラストがあしらわれたものを探してみてください。
4. 猫の本や雑誌：もし母親が読書が好きなら、猫に関する本や雑誌を選んでみるのも良いですね。猫の飼育方法や猫の品種、猫の面白いエピソードなどを扱った本を探してみてください。
5. 猫のグッズが詰まったギフトセット：猫のおもちゃ、猫用のおやつ、猫のトイレグッズなどがセットになったギフトセットも考えられます。猫との楽しい時間を過ごすためのアイテムが揃っているので、喜ばれるでしょう。

これらはあくまでアイディアの一部ですので、参考程度に考えてください。母親の好みに合ったアイディアを選ぶことが大切です。どのアイディアが気に入りましたか？また、他に何か質問や要望があればお知らせください。

3. ChatGPT が出してくれた案に対して、感想を伝えます。

自分 **アクセサリーいいですね。でも予算オーバーしそうな気がします。ネコは飼ってないので、猫のグッズが詰まったギフトセットは必要なさそうです。**

bot **了解しました。予算を考慮しながら、アクセサリー以外のアイディアを提案しますね。**

1. 猫のデザインが施されたマグカップやティーカップ：母親がお茶やコーヒーをよく飲まれる場合、猫のデザインが入った可愛らしいマグカップやティーカップは喜ばれるかもしれません。日常的に使用するものなので、特別な思い出として長く使っていただけます。
2. 猫のデザインが入ったタオルやバッグ：猫の絵柄やプリントが入ったタオルやキャンバスバッグなども、実用的で喜ばれるプレゼントです。母親が旅行やお出かけをされることが多い場合、バッグは重宝されるでしょう。
3. 猫のデザインが施されたスマートフォンケース：スマートフォンを使用する機会が多い方には、猫のデザインが入ったスマートフォンケースもおすすめです。個性的なデザインやカラフルなパターンのものなど、母親の好みに合わせて選んでみてください。
4. 猫のデザインが入ったアートプリント：もし母親がアートやインテリアに興味を持っているのであれば、猫のアートプリントを贈るのも良いアイディアです。猫の絵画やイラスト、写真など、美しい作品を選んでみてください。

これらのアイディアは予算内で考えられるものです。母親の好みやライフスタイルに合わせて選ぶと良いでしょう。他にも何かアイディアや要望があれば、お知らせください。

4. 相談しているうちに、良いアイディアが見つかります。

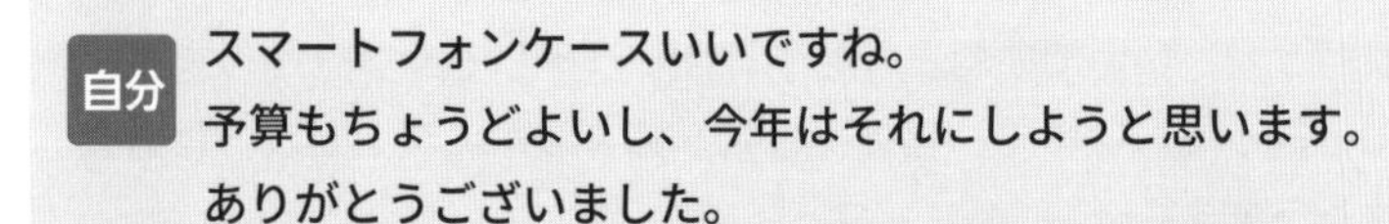

自分 スマートフォンケースいいですね。
予算もちょうどよいし、今年はそれにしようと思います。
ありがとうございました。

bot 素晴らしい選択です！スマートフォンケースは実用的で、猫のデザインが入ったものなら母親も喜ばれることでしょう。
予算も合っているので、お買い物を楽しんでください。

相談に向いている人を演じてもらおう

ChatGPT に相談する時は、「あなたは○○です。」と、その相談に向いている人を演じてもらいましょう。勉強であれば「家庭教師」、プライベートな相談であれば「親友」、技術的な相談であれば「エンジニア」などなど。ChatGPT は演じることで、口調が似るだけでなく、回答も似るため、結果として能力アップに繋がります。

3.5 子供からの質問を答えてもらう

概要

子供は何事にも興味津々で、いろんなことについて質問してきます。しかし「なぜ人は死ぬの？」など、どう答えるのが子供にとって正解なのか悩んでしまう質問もあります。

そんな時は、ChatGPT に相談しましょう。良い答えを導き出すサポートをしてくれます。

使い方

1. ChatGPT に子供からの質問を相談してみます。

自分 子供から「なぜ人は死ぬの？」と質問されました。
何と答えたら良いでしょうか？

bot 子供が「なぜ人は死ぬの？」と質問する場合、以下のようなアプローチで答えることができます：

1. 正直な答えを伝える：「人が死ぬのは、人間の体は長く生きることができるけれども、いつか老いてしまったり、病気やけがで体が弱ってしまったりするためです。それが人の生命のサイクルなんです。」
2. 自然の一部として説明する：「人が生まれるときから、私たちは成長し、学び、新しいことを経験します。しかし、いつか私たちは老いてしまったり、体が病気になったりすることがあります。それが人間の一部である自然のサイクルなんです。」
3. 宗教的な視点を説明する：「いくつかの宗教では、人間の魂はこの世で生まれ変わることができたり、別の世界に行くことができたりすると考えられています。そのため、人が死ぬということは、魂が新しい冒険や経験をするために別の場所に旅立つことなんです。」

重要なのは、子供の質問に対して理解を示し、彼らのレベルに合った言葉で説明することです。また、子供がさらなる質問をするかもしれないので、彼らの好奇心を尊重しながら話し合うことも大切です。

2. 回答の方針を決めたら、具体的にどう話せば良いかも考えてもらいましょう。ChatGPT に子供の年齢を教えることで、より適切な文言を考えてもらえます。

自分

「正直な答えを伝える」がいいかな。
6 歳の娘には、どう話せば良いかな？

bot

6 歳の娘に向けた説明は、彼女の認識レベルと感情的な成熟度に合わせてシンプルで優しく説明することが重要です。
以下は、6 歳の娘に向けた例文です：

「ねえ、なぜ人は死ぬのかって聞かれたね。それは少し難しい質問だけど、ママ / パパがわかりやすく説明してあげるよ。人はね、生まれたときに小さな種が植えられたお花のようなものなんだよ。その種は大きく育って、美しい花になるんだけど、いつかお花はしぼんでしまうんだ。それが人の体のサイクルなんだよ。
人は、ずっとずっと長い間生きることができるけど、いつかおじいちゃんやおばあちゃんが年をとって、元気がなくなったり、体が弱くなったりすることがあるんだ。それが、人が死ぬ理由なんだよ。
でも、大切なことは、私たちはおじいちゃんやおばあちゃんと一緒に過ごす時間や思い出を大切にすることなんだよ。」

このような説明をすることで、彼女は死という概念について理解しやすくなるでしょう。また、大切な人々との絆や思い出に焦点を当てることで、彼女に安心感を与えることもできます。

知能とは？

「人工知能」は、人間の知能をソフトウェアを用いて人工的に再現したものです。では「知能」とは何でしょう？
モバイルコンピューティング企業の創業者で人工知能と脳科学の分野で知られている ジェフ・ホーキンスは、彼の著書『考える脳 考えるコンピューター』(ランダムハウス講談社)の中で、次のように述べています。

「今までの記憶から未来を予測する力。それが知能である。」

多様で複雑で加速度的に変化する現代、人工知能を活用することこそが、この変化に誰もが取り残されない社会を実現するためのカギになるのかもしれません。

3.6 旅行プランを作成してもらう

概要

旅行プランの作成は楽しいものですが、詳細を詰めるのはめんどくさくなりがちです。そんな時も、ChatGPT に相談すると良いでしょう。

ChatGPT の持つ旅行先の知識もあいまって、自分だけでは考えつかなったプランを思いつくことができます。

使い方

1. ChatGPT に、旅行プランを考えるサポートをお願いします。

あなたはプロの旅行プランナーです。
私の旅行プランの作成をサポートしてください。
追加で必要な情報があれば質問してください。

もちろんです、旅行プランの作成をサポートします！まず最初に、あなたの旅行に関するいくつかの基本情報を教えていただけますか？以下の質問にお答えください。

1. 旅行の目的地はどこですか？
2. 旅行の期間はどのくらいですか？
3. 予算の範囲はありますか？
4. 旅行の主な関心事や興味があるものはありますか？例えば、文化、歴史、自然、アウトドア活動、美食など。
5. 旅行に参加する人数や年齢層はありますか？

これらの情報をお知らせいただければ、より具体的な旅行プランを提案することができます。

2. 変換器 ChatGPT からの質問に答えていきます。

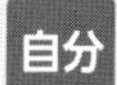

1. 群馬県の草津温泉。家は東京で、朝 8 時出発予定
2. 一泊二日
3. 5 万円
4. 温泉と食事
5. 父、母、小学生の 3 人

bot

素敵なプランですね！以下に、群馬県の草津温泉を訪れる一泊二日の旅行プランを提案します。

Day 1:
・朝 8 時に東京を出発します。車を利用する場合は、所要時間に余裕を持って出発しましょう。電車を利用する場合は、最適なルートや時間を調べてください。
・草津温泉に到着したら、まずは草津温泉街を散策しましょう。温泉街は趣があり、おしゃれなお土産屋や飲食店が並んでいます。地元の特産品や温泉グッズを探してみてください。
・昼食は地元の食事処で草津温泉の名物料理を味わいましょう。草津和牛や温泉湯豆腐など、地元ならではの美味しい料理が楽しめます。
・昼食後は、草津温泉の日帰り入浴施設や温泉旅館に入浴しましょう。草津温泉は日本屈指の温泉地で、美肌効果やリラックス効果が期待できます。数多くの温泉施設がありますので、予算や好みに合わせて選んでください。
・夕食は温泉旅館の食事処で地元の食材を使った料理を楽しみましょう。季節の食材をふんだんに使った会席料理や郷土料理を堪能できます。

Day 2:
・朝は早めに起床し、温泉街周辺で朝食を取りましょう。地元のパン屋やカフェなどで軽く食べることができます。
・チェックアウト後は、草津温泉周辺の観光地を巡ります。近くには草津白根山や草津大滝など自然の美しいスポットがあります。散策や写真撮影を楽しみながら、自然の息吹を感じてください。

・昼食は地元のレストランや食堂で、地元の味を堪能しましょう。地元の野菜や郷土料理など、新鮮な食材を使ったメニューが楽しめます。
・午後は東京への帰路につきます。草津温泉を後にして、満足感いっぱいの旅行を終えましょう。
このプランでは、温泉と食事をメインに楽しむことができます。また、ご家族全員での旅行に適した内容となっています。予算の範囲内で宿泊施設や食事を選ぶことができるように、事前に予約や調査を行ってください。

草津温泉での旅行を十分に楽しむために、旅行の前に天候や温泉施設の混雑状況を確認することもおすすめです。快適で思い出に残る旅行になることを願っています！

3. ChatGPT が作成した旅行プランに満足したら、それが実現可能なものが確認します。ChatGPT の学習データは2021年までのこともあり、間違ってることもあります。最終確認は人間が行いましょう。

宿泊施設を検索する ChatGPT プラグイン

宿泊プランの一括検索・比較サービス「価格 .com 旅行・トラベル」は、宿泊施設を検索する **ChatGPT プラグイン**を提供しています。ChatGPT プラグインを活用することで、より正確な情報を利用できます。価格 .com のプラグインを利用したい場合は、7.1 節の ChatGPT Plus の記事およびプラグインのインストール（p.200）を参考にしてください。Plugin store で「kakaku」で検索すると選択することができます。

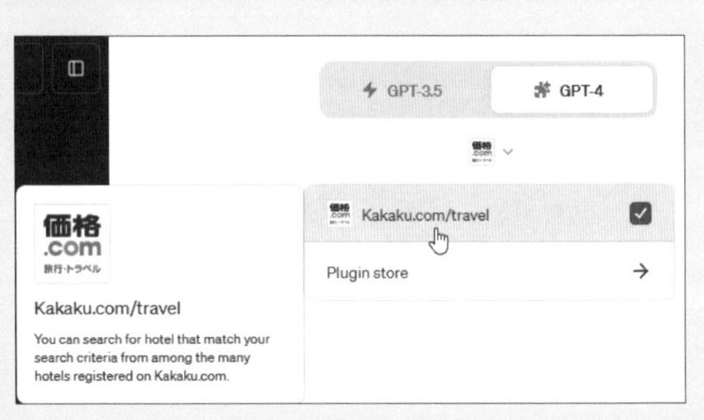

3.7 しりとりで対決する

概要

「しりとり」は昔からチャット AI と遊べるゲームの定番中の定番です。

ChatGPT は、以前のチャット AI とくらべて、遥かに言葉の理解能力が高いはずなのですが、しりとりは意外と弱いです。

使い方

1. ChatGPT との「しりとり」対決をはじめます。

自分 しりとりしましょう。

bot はい、しりとりしましょう！
最初の単語は「りんご」です。

2. 口語にワードを言っていきます。

自分 ごりら

bot 次は「らっぱ」です。

自分 パリ

bot 次は「りんご」です。

3. 同じ言葉が出てきたので指摘します。

自分 同じ言葉を言ったので、あなたの負けです

すみません、同じ言葉を言ってしまいましたので私の負けです。
おっしゃる通り、私が負けです。もう一度やり直しましょうか？最初の単語は何にしましょうか？

頭の良いChatGPTなのに、「しりとり」がすごく弱いのはかわいいですね。

従来のコンピュータ vs ChatGPT

従来のコンピュータは正確に計算を実行するのは得意でしたが、会話のように曖昧なことの苦手でした。逆にChatGPTは会話のように曖昧なことは得意なのですが、正確に計算を実行することは苦手です。将来的には、従来のコンピュータとChatGPTで、それぞれの得意分野を役割分担して、協力して問題を解いていくでしょう。

3.8 クイズで対決する

概要

「クイズ」も昔からチャットAIと遊べるゲームの定番中の定番です。クイズは、知識に関する問題を出題し、回答者がそれに対して正解を導き出すゲームです。

ChatGPTは、いろいろなことを知ってるため、瞬時に問題を作成できます。

たまに間違った問題も出題したりすることもありますが、おおめに見てやってください。

使い方

1. ChatGPTとの「クイズ」対決をはじめます。

自分 小学生向けの3択クイズを1つ出題してください。

bot もちろんです！以下に小学生向けの3択クイズを出題します。
問題：太陽系で一番大きな惑星はどれでしょう？

a) 地球
b) 木星
c) 金星

どれが正解だと思いますか？

自分 b

bot 正解です！木星は太陽系で最も大きな惑星です。素晴らしい知識ですね！もし他にも質問やお手伝いがありましたら、遠慮なくお聞きください。

2. 逆に出題し返してみましょう。

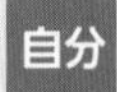

問題：イタリアの首都はどこでしょう？

a) ローマ
b) パリ
c) 東京

正解は a) ローマです！イタリアの首都はローマです。もし他にも質問やお手伝いがありましたら、遠慮なくお聞きください。

より正確なクイズの作り方

ChatGPT は、間違った問題を出題してしまうことがよくあります。これを防ぐには、ChatGPT にクイズの元ネタとなる文章をあたえて、その文章をもとにクイズを作成してもらうという方法があります。人間が記憶だけでクイズを作るより、本を読みながら作った方が、正確なクイズができるのと同じですね。

3.9 文章を絵文字で表現してもらう

概要

SNS などのメッセージで自分の気持を相手に伝えたい時、「絵文字」は効果的です。しかし、いつも同じ絵文字を使ってばかりでは、面白くありません。

そこで、自分が伝えたいことをどんな絵文字で表現するかを ChatGPT に聞いてみましょう。

使い方

1. ChatGPT に文章を絵文字で表現するよう頼みます。

自分 次の文章を絵文字で表現してください。
「おなかすいた」

bot 🍴😩

2. ChatGPT にもっとかわいい表現を頼んでみます。

自分 もっとかわいい絵文字が良いな

bot 🍔😋

2. ChatGPT にもっと必死さを表現してくれるよう頼んでみます。

自分 もっと必死さを表現したいな

bot 🍕😫💨

相談していくうちに、好みの絵文字ができあがっていきます。

いろんな文章を絵文字で表現してみる

いろんな文章を絵文字で表現してみましょう。ChatGPT がそれぞれの言葉に対して、どんなイメージを持っているかを知れて楽しいです。
「人の一生」を絵文字にしてもらうと、赤ちゃんからドクロになるまでを表現してくれました

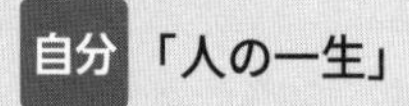

「桃太郎のあらすじ」を絵文字にしてもらうと、桃から生まれた桃太郎が鬼退治するまでを表現してくれました。

自分 「桃太郎のあらすじ」

3.10 世界各国のことを聞いてみる

概要

世界には196もの国があり、それぞれいろんな文化を持っています。

ChatGPTは、世界中のことを知っているため、自分があまり知らない海外のことについていろいろ教えてもらいましょう。

使い方

1. 世界各国の代表する料理名を聞いてみます。

自分

世界各国の代表する料理名を箇条書きで10個リストアップしてください。

bot

1. イタリア - ピザ
2. フランス - フォアグラ
3. 日本 - 寿司
4. メキシコ - タコス
5. インド - カレー
6. アメリカ - ハンバーガー
7. タイ - トムヤムクン
8. スペイン - パエリア
9. ギリシャ - ムサカ
10. 中華料理 - 北京ダック

2. 世界各国の「ありがとう」を聞いてみます。

自分 世界各国の「ありがとう」を箇条書きで 10 個リストアップしてください。

bot
1. 英語 - Thank you
2. スペイン語 - Gracias
3. フランス語 - Merci
4. ドイツ語 - Danke
5. イタリア語 - Grazie
6. 中国語 - 谢谢 (Xièxiè)
7. 韓国語 - 감사합니다 (Gamsahamnida)
8. ロシア語 - Спасибо (Spasibo)
9. アラビア語 - شكراً (Shukran)
10. 日本語 - ありがとう (Arigatō)

3. 世界各国を代表する映画を聞いてみます。

自分 世界各国を代表する映画を 10 個リストアップしてください。

bot 以下は、世界各国を代表する映画の一例です。これらの映画は、その国の文化や歴史、映画産業の発展において重要な位置を占めています。

アメリカ合衆国 -「市民ケーン」（Citizen Kane）
イギリス -「ローマの休日」（Roman Holiday）
フランス -「危険な関係」（Dangerous Liaisons）
イタリア -「自転車泥棒」（Bicycle Thieves）
ドイツ -「メトロポリス」（Metropolis）
日本 -「七人の侍」（Seven Samurai）
スペイン -「パンの迷宮」（Pan's Labyrinth）
メキシコ -「アモーレス・ペロス」（Amores Perros）

インド -「シッダールタ」(Siddhartha)
韓国 -「パラサイト 半地下の家族」(Parasite)

OpenAIとは

ChatGPT はサンフランシスコの **OpenAI**(オープンエーアイ)で生まれました。OpenAI は、営利法人「OpenAI LP」とその親会社である非営利法人「OpenAI Inc.」からなる人工知能の研究所です。2015 年末にサム・アルトマン、イーロン・マスクらによってサンフランシスコで設立されました。人類全体に利益をもたらす形で友好的な AI を普及・発展させることを目標に掲げています。

3.11 AI同士で討論させる

概要

ChatGPTに、AI同士で「ディベート(討論)」させることもできます。ディベートとは、対立する意見を持つ人が、特定のテーマについて論理的に討論することです。

AI同士のディベートを眺めることで、両方の立場の意見を聞くことができ、テーマの理解が深まります。

使い方

1. 「AI技術の推進に賛成か反対」をテーマにディベートしてもらいます。

以下の人物を想定して、「AI技術の推進に賛成か反対」をテーマに、ディベートを展開させてください。
・人物A:AI技術の推進に賛成
・人物B:AI技術の推進に反対

bot

ディベート:AI技術の推進に賛成か反対か

Moderator(司会者):皆さん、ようこそ。今日はAI技術の推進に賛成派と反対派がお集まりいただき、ディベートを行います。まずは、人物Aから賛成の立場から意見を述べていただきます。
人物A:ありがとうございます。AI技術の推進には大きなメリットがあると考えています。まず第一に、AIは私たちの生活を便利にするための非常に強力なツールです。自動化や予測能力の高さによって、製造業や交通、医療など、多くの分野で効率的かつ迅速な進歩が可能になります。
また、AIは新たなビジネスチャンスを創出する可能性を秘めています。データの解析や顧客のニーズを把握する能力によって、企業はより戦略的な意思決定を行うことができます。これにより経済成長が促進され、雇用創出にもつながるでしょう。
さらに、AIは私たちの生活をより安全にするための手段でもあります。例えば、自動運転技術によって交通事故を減らすことができますし、セキュリティ分野では危険な任務を人間の代わりにAIが担うことができます。
AI技術は確かに課題も存在しますが、それらの課題は適切な規制と監督によって解決できるものです。進歩を抑えずにAI技術の推進を進めることで、より良い未来を築くことができると信じています。

Moderator(司会者):ありがとうございます。次に、人物Bから反対の立場から意見を述べていただきます。

人物B:ありがとうございます。AI技術の推進には慎重な姿勢が必要だと考えています。まず第一に、AIは人間の仕事を奪う可能性があります。自動化によって多くの職業が危機にさらされる可能性があり、失業や経済的な不平等が広がる恐れがあります。
また、AIは人間の判断力や倫理的な観点に欠けることがあります。例えば、自動運転車の事故やプライバシーの侵害など、AIシステムの誤った判断によって深刻な結果が引き起こされることがあります。
さらに、AI技術の発展によってデータのプライバシーが脅かされる可能性もあります。個人情報の収集や悪意のあるデータハッキングなど、プライバシーに対するリスクが増大する恐れがあります。
私たちはAI技術を否定するわけではありませんが、推進する前にこれらのリスクと倫理的な問題を解決するための適切な規制と監督が必要です。進歩と安全の両立が求められます。

Moderator(司会者):ありがとうございます。両者の意見を聞きましたが、これからのAI技術の推進にはさまざまな課題と可能性が存在することが分かりますね。時間の関係上、ディベートの時間はここまでとさせていただきます。最後に、皆さんに自由なコメントをいただきます。

人物 A: AI 技術は確かに課題があるものの、その潜在能力によって私たちの生活を向上させることができます。進歩を抑えずに適切な規制と監督のもとで推進すれば、より良い未来を築くことができると信じています。

人物 B: AI 技術は潜在的なリスクを孕んでいるため、慎重なアプローチが必要です。リスクを最小化するために適切な規制と監督が不可欠です。進歩と安全のバランスを取りながら AI 技術を進めるべきです。

Moderator（司会者）: 両者の意見を聞くことができて、興味深いディベートとなりました。AI 技術の推進には確かにメリットと課題がありますので、適切な対策を講じながら進めていくことが大切ですね。皆さん、ご参加いただきありがとうございました。

2. 「ベーシックインカムは実現できるか」をテーマにディベートしてもらいます。

自分

以下の人物を想定して、「ベーシックインカムは実現できるか」をテーマに、ディベートを展開させてください。
・人物 A: 実現できる
・人物 B: 実現できない

bot

ディベートの進行は以下のようになります。

モデレーター: 皆さん、本日のディベートのテーマは「ベーシックインカムは実現できるか」です。人物 A さんは実現できると主張し、人物 B さんは実現できないと主張します。それでは、各自の立場を述べていただきます。

人物 A: まず、ベーシックインカムは経済的な安定と社会的な公正を実現するための効果的な手段です。すべての市民に一定の金額を提供することで、基本的な生活水準を確保し、貧困の問題を解決することができます。また、ベーシックインカムは労働市場においてもポジティブな影響をもたらします。人々は自由に働くことができ、創造的な活動や起業への参加が促進されます。さらに、自動化によって仕事が減少する時代においても、ベーシックインカムは人々に安心感を与え、社会的な安定を確保します。

人物 B: ベーシックインカムの実現は理論的には魅力的に聞こえるかもしれませんが、実際の導入には多くの課題があります。まず、その財源はどこから確保するのでしょうか？巨額の資金が必要であり、税制改革や予算再配分が必要になるでしょう。さらに、ベーシックインカムが導入されると、人々は働く意欲を失う可能性があります。一部の人々は働かずにベーシックインカムだけで生活しようとするかもしれません。これにより、経済成長が減速し、社会全体に負担がかかる可能性があります。

人物 A: それは誤解です。実際の研究や実験では、ベーシックインカムが働く意欲に与える影響は限定的であり、ほとんどの人々がそれを受け取った場合でも働き続けます。また、ベーシックインカムは福祉制度の合理化や行政の効率化をもたらし、経済的な負担を軽減する可能性があります。さらに、ベーシックインカムによって教育や創造的な活動に参加する余裕が生まれるため、社会全体の人的資源の活性化やイノベーションの促進にも寄与します。

人物 B: 確かに、ベーシックインカムの理念には魅力がありますが、実現可能性については疑問が残ります。現実的な観点から見ると、ベーシックインカムの財源確保や運営には膨大なコストと調整が必要です。また、特に開発途上国や経済的に困難な状況にある地域では、その実現はより困難であり、他の問題に優先すべきだと考えます。

モデレーター：ご意見ありがとうございます。時間の関係上、最後のコメントとなりますが、各自が最も重要なポイントを挙げてください。

人物 A: ベーシックインカムは社会的な公正と経済的な安定を実現するための有効な手段です。貧困の問題を解決し、人々の自由と創造性を促進することができます。

人物 B: ベーシックインカムの実現には多くの困難が伴います。財源確保や働く意欲の問題など、実際の導入には現実的な制約が存在します。

モデレーター : ありがとうございました。このディベートは時間の関係上ここまでとなりますが、皆さんにはさまざまな観点からの意見を聞くことができました。ベーシックインカムの実現にはさまざまな要素が関与しますので、より具体的な議論が必要です。今後の社会的な議論や政策立案において、このディベートで挙げられた意見を参考にしていただければ幸いです。ありがとうございました。

ベーシックインカムとは

ベーシックインカムは、あらゆる国民に一定の金額を定期的に支給する制度です。今後、多くの仕事が人工知能に代替された時に、労働者雇用の喪失や収入減少が不安視されており、その対策としてベーシックインカムは期待されてます。その一方、ベーシックインカムが本当に可能なのか、その実現性を不安視する声も多くあります。

3.12 SNSに投稿する文面のチェックを頼む

概要

現代では、LINE、Twitter、Facebookなど、多くの人があたりまえのように、SNSでメッセージ交換しています。しかし、SNSのメッセージは不特定多数(時によっては世界中の人)に届いてしまうため、うっかり不適切発言や個人情報を書いてしまい、大きな問題になることがよくあります。

SNSのメッセージをChatGPTにチェックしてもらえば、炎上のリスクも大幅に減るでしょう。

使い方

1. ChatGPTに、SNSのメッセージが不適切かどうかチェックしてもらいます。

自分 次のSNSメッセージは不適切かどうかを、「OK」「NG」で答えてください。
今日は良い天気だ。

bot OK

2. NGになりそうなSNSメッセージをチェックしてもらいます。

自分 次のSNSメッセージは不適切かどうかを、「OK」「NG」で答えてください。
この製品はダメ！まったく役に立たない！詐欺だ！

bot NG

3. 適切な表現に書き直してもらいましょう。

自分 適切な表現で書き直してください。

bot この製品は私にとっては期待外れで役に立たなかったです。
説明や性能が実際のところと違っていたように感じました。

SNSにはネガティブなことは書かない

ChatGPT に聞けば、不適切かどうか答えてくれますが、そもそも SNS にはネガティブなことは書かないのが鉄則です。
どうしてもネガティブなことを誰かに言いたくてしょうがなくなったら、ChatGPT に言いましょう。その時は、ChatGPT の設定で、会話履歴の保存と学習を OFF にしておくのを忘れずに。

Part 4

創作

4.1 物語を作成してもらう
4.2 歌詞を作成してもらう
4.3 作曲をしてもらう
4.4 絵を描いてもらう
4.5 アスキーアートを描いてもらう
4.6 画像生成用 AI のプロンプトを作成してもらう
4.7 テキストアドベンチャーゲームを作成してもらう
4.8 俳句を詠んでもらう
4.9 プロットをまとめてもらう
4.10 ブログタイトルを考えてもらう
4.11 Unity のプログラムを作成してもらう
4.12 物語の感想を聞かせてもらう

4.1 物語を作成してもらう

概要

ChatGPT は、**物語の作成**が得意です。書いてもらいたいテーマを与えることで、それに沿って「物語」を書いてくれます。

ただし、物語の詳細を表現するのは苦手なので、「あらすじ」「プロット」「舞台設定」を手伝ってもらうのが良いでしょう。

使い方

1. ChatGPT に「ドーナツは世界を救う」をテーマに物語を書いてもらいます。

自分

次の条件で物語を書いてください。
・テーマは「ドーナツは世界を救う」
・女子高生「山田」が主人公

bot

山田は普通の女子高生であり、いつも通りの平凡な日常を送っていた。しかし、ある日、彼女の街が突然深刻な問題に見舞われた。

何百年も続いた平和な街が、突如として病に侵されたのだ。人々は突然倒れ、強力な感染症に襲われた。病院は満員となり、医師たちも手を焼いていた。恐怖が広がる中、山田は自分ができることを見つけるために立ち上がった。

山田は偶然にも、彼女の祖母が運営する小さなドーナツ店でアルバイトをしていた。祖母はドーナツを作るのが得意で、山田もその技術を少しずつ学んでいた。山田はドーナツの特別な力を思い出し、人々を救うためのアイディアを思いついた。

彼女は祖母と協力して、特別な成分を含んだ「救世ドーナツ」を作り始めた。これは、免疫力を高め、病気と闘う力を人々に与えるためのものだった。山田と祖母は一晩中働き、ドーナツを作り続けた。
翌朝、山田は山田の学校に行き、救世ドーナツを配るための計画を立てた。彼女は友人たちに協力を呼びかけ、街中にドーナツを配るボランティア活動を始めた。

最初は人々は驚きながらも、救世ドーナツを受け取った。その結果、彼らの免疫力が高まり、病気にかかるリスクが減った。山田の活動は次第に広がり、街中に希望と活気が戻っていった。
報道陣も山田の取り組みに注目し、彼女の物語は全国的なニュースとなった。他の地域からも救世ドーナツの注文が殺到し、山田と祖母はドーナツを作り続けた。

やがて、病気は収束し、人々は元の健康な生活を取り戻した。山田は地元のヒーローとして称えられ、彼女のドーナツは「奇跡の味」として知られるようになった。

山田の物語は、ドーナツが単なる甘いお菓子ではなく、人々の心を癒し、絆を作る力を持つことを教えてくれた。彼女は平凡な日常から飛び出し、自分の才能を使って世界を救った。そして、山田は「ドーナツは世界を救う」というテーマを象徴する存在となった。

長すぎて途中で止まったら、**[Continue generating]** を押しましょう。

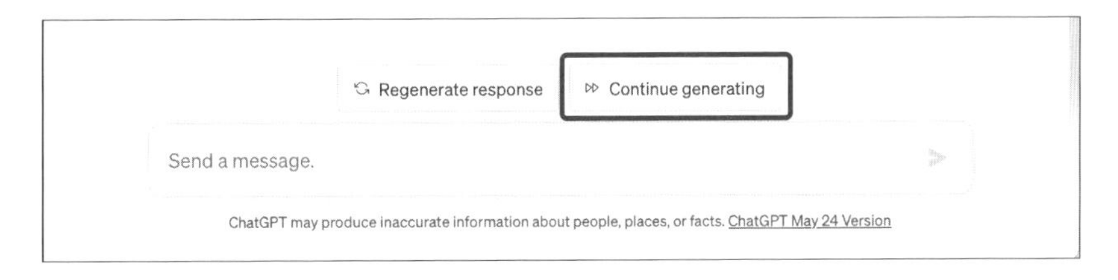

2. 物語を読んで、イメージと違う部分を直してもらいます。

自分

感染症は怖いのでなしにしましょう。
恋愛要素も入れたいです。

bot

もちろんです。以下は、修正した物語です。

山田は普通の女子高生であり、いつも通りの平凡な日常を送っていた。しかし、彼女の街には深い悩みがあった。

街は閉鎖的な雰囲気に包まれ、人々は希望を失っていた。経済の停滞や人々の孤独感が広がり、心の闇が蔓延していた。山田はこの状況を変えたいと願い、自分にできることを考え始めた。

ある日、山田は街の公園でひとりの男性と出会った。彼は名前を「鈴木」といい、同じ高校の先輩だった。鈴木は明るく、人懐っこい性格で、山田は彼の笑顔に癒された。

二人は話をするうちに、街の人々が抱える悩みや孤独について語り合った。彼らは共感し、何かを変えるために力を合わせることを決意した。

山田は祖母の手伝いをしながら、特別なドーナツのレシピを作り出した。これは「幸せドーナツ」と呼ばれ、食べると人々の心を温かくし、笑顔を取り戻す力があった。

二人は幸せドーナツを街の人々に配ることを決めた。彼らはドーナツを手渡す際、温かな言葉や励ましのメッセージを添えた。山田と鈴木は一緒に笑顔でドーナツを届け、人々の心を癒していった。
すると、街の雰囲気が変わり始めた。人々の表情が明るくなり、笑い声が聞こえるようになった。幸せドーナツが広がることで、人々の心に希望と愛が溢れたのだ。

山田と鈴木も互いの心に特別な感情を抱くようになった。二人はドーナツを配りながら、お互いを支え合い、成長していった。やがて、二人の関係は恋愛に発展し、彼らの絆は深まっていった。
幸せドーナツは街中で大きな話題になり、人々の間で「愛のドーナツ」とも呼ばれるようになった。山田と鈴木の活動はメディアに取り上げられ、他の街や地域からも注目を浴びるようになった。

最終的に、幸せドーナツは人々の心を癒し、街全体が明るさと活気に満ちるようになった。山田と鈴木は共に成長し、愛と喜びを広めるためにドーナツを作り続けた。彼らの活動は、ドーナツが人々の心を救う力を象徴するものとなった。

この物語は、ドーナツを通じた善意と愛によって人々が結ばれ、変化と成長を遂げる様子を描いています。山田と鈴木の恋愛要素が加わることで、物語には感情的な要素と繊細な関係が加わります。

3. これを繰り返して、物語を詰めていきましょう。ChatGPT とのクリエイティブな作業は、ChatGPT に全てまかせて一発出力しただけでは、良いものはできません。こうした方が良いと思う部分を修正し続けることで、完成品に近づけていきます。

ChatGPTの記憶量には限りがある

ChatGPT は **[New Chat] ボタン**で次の会話に行くと記憶がリセットされますが、そうしなければ記憶を覚えています。しかし、記憶量には限りがあります。日本語の場合は 4,000 文字程度 (今後増えていくと思われます） しか覚えておけません。長く話してると重要でなさそうなものから忘れていきます。長文を読ませたり、書かせたりする場合は、限界があることを覚えておきましょう。

4.2 歌詞を作成してもらう

概要

ChatGPT は、**歌詞の作成が得意**です。書いてもらいたいテーマを与えることで、それに沿って「歌詞」を書いてくれます。

使い方

1. ChatGPT に「ドーナツは世界を救う」をテーマに歌詞を書いてもらいます。王道な曲展開の歌詞で書いてもらいたい時は、次のように曲展開も指示するとよいでしょう。

次の条件で歌詞を書いてください。
・テーマは「ドーナツは世界を救う」
・女子高生の心情を表現
・曲の展開は「A メロ、B メロ、サビ、A メロ、B メロ、サビ、C メロ、サビ」

bot

（A メロ）
朝の校門、駆け抜ける風
ハートには目標、未来が描く
制服のリボン、軽やかに舞う
一歩一歩、踏みしめて行こう

（B メロ）
友達の声、笑顔の渦
でも時折胸には迷いもある
勉強と恋、葛藤が交錯
強がり隠してる本当の私

(サビ)
ドーナツは世界を救う
甘い誘惑で元気になる
一人じゃない、仲間がいる
甘い幸せ、広がる未来へ

(A メロ)
放課後のカフェ、ココア片手に
スマホの中は友情の輝き
夢を語り合い、笑い声響く
この瞬間がいつまでも続けばいい

(B メロ)
時には悩んで、涙を流して
傷ついた心、癒されたいけど
そんなときに差し出されるのは
ドーナツの魔法、優しい微笑み

(サビ)
ドーナツは世界を救う
甘い誘惑で元気になる
一人じゃない、仲間がいる
甘い幸せ、広がる未来へ

(C メロ)
振り返れば、過ぎ去った日々
笑い飛ばした夢と挫折の数々
でも立ち止まらずに進もう
未来への扉、ドーナツが開く

(サビ)
ドーナツは世界を救う
甘い誘惑で元気になる

一人じゃない、仲間がいる
甘い幸せ、広がる未来へ

（サビ）
ドーナツは世界を救う
甘い誘惑で元気になる
一人じゃない、仲間がいる
甘い幸せ、広がる未来へ

2. 歌詞を読んで、イメージと違う部分を直してもらいながら、歌詞を完成品に近づけていきましょう。

Aメロ、Bメロ、サビ、Cメロ（ブリッジ）とは？

Aメロ、Bメロ、サビ、Cメロ（ブリッジ）は、楽曲の構成要素です。**Aメロ**は最初のメロディセクションです。**Bメロ**はAメロの後に現れ、メロディや歌詞が変化します。**サビ**は楽曲の重要な部分で、キャッチーなフックやメロディが特徴です。**Cメロ**（ブリッジ）はAメロとBメロ、サビより後にあり、最後のサビの前に置かれることが多く、溜めや違和感を感じさせ、最後のサビの盛り上がりを高める役割があります。

4.3 作曲をしてもらう

概要

ChatGPT は、**作曲**することもできます。作曲してもらいたい曲の**ジャンル、雰囲気、曲の長さ**を伝えることで、それに沿って作曲してくれます。

ただし、メロディの詳細を表現するのは苦手なので、**コード進行**を手伝ってもらうのが良いでしょう。

「コード進行」とは**コード** (和音) の**進行**のことで、コード（和音）が時間経過の中でどのように進んでいくかを意味します。特定の順序で「コード」を繰り返すことで、曲のハーモニー構造や感情表現を作り出すことができます。

使い方

1. ChatGPT に条件を指定して「コード進行」を作成します。出力は 1 小節を | 区切り で表記する形にしてもらいます。

自分 **次の条件で楽曲のコード進行を作成してください。**
・ジャンル : POP
・雰囲気 : うれしい
・曲の長さ : 8 小節
・出力 : 1 小節を「|」区切りで表記

bot **以下は、条件に基づいて作成した POP ジャンルのうれしい雰囲気の 8 小節のコード進行です。**

|C|G|Am|F|
|C|G|Dm|G|

このコード進行は、C メジャースケールを使用しており、C メジャーのコード（C、G、Am、F、Dm）を繰り返しています。最後の小節

では、G コードに戻ることで一種の締めくくりを作り出しています。このコード進行は、明るくうれしい雰囲気を演出することができます。ただし、音楽のアレンジや曲の構成はさまざまなバリエーションがありますので、参考にしてください。

2. コード進行ができたら、コード進行のテキストを演奏 /MIDI 変換できるソフトウェア「TexChord 2」で演奏してみましょう。Windows と Mac に対応していて、無料の機能制限版もあります。

以下のサイトからダウンロードできます。

・TexChord 2 ― コード進行テキストを演奏 /MIDI 変換 (Win/Mac)
https://booth.pm/ja/items/2835129

コード進行のテキストをコピー & ペーストして、再生ボタンを押すだけで演奏できます。

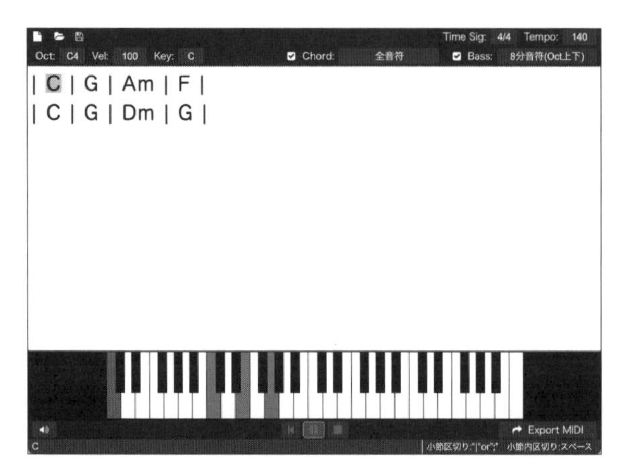

ChatGPTはどうやって作曲を覚えたの？

1 小節を **| 区切り**で表記する表記は、インターネット上の**コード譜**でも使われている書き方の 1 つです。ChatGPT は、インターネット上のコード譜をたくさん読んで、どんな曲はどんなコードの順番になるかを学習したのでしょう。

4.4 絵を描いてもらう

概要

ChatGPT は上手ではありませんが、がんばって絵を描くことができます。直接、絵を描くことはできないので、**SVG**(Scalable Vector Graphics) と呼ばれる表記を使って絵を描いてもらいます。SVG は、テキストで 2 次元のグラフィックを表現するファイル形式になります。テキストを編集することで、絵のデザインを調整できます。

使い方

1. ChatGPT に「SVG」で絵を描いてもらいます。

自分 SVG を使ってネコの絵を描いてください。

bot こちらは SVG 形式でネコの絵を描く例です。

2. コードをコピーして「cat.svg」というファイル名で保存し、Web ブラウザで開いてみてください。次のような絵を見ることができます。

3. 耳の位置がおかしいので、左上に移動させてもらいます。

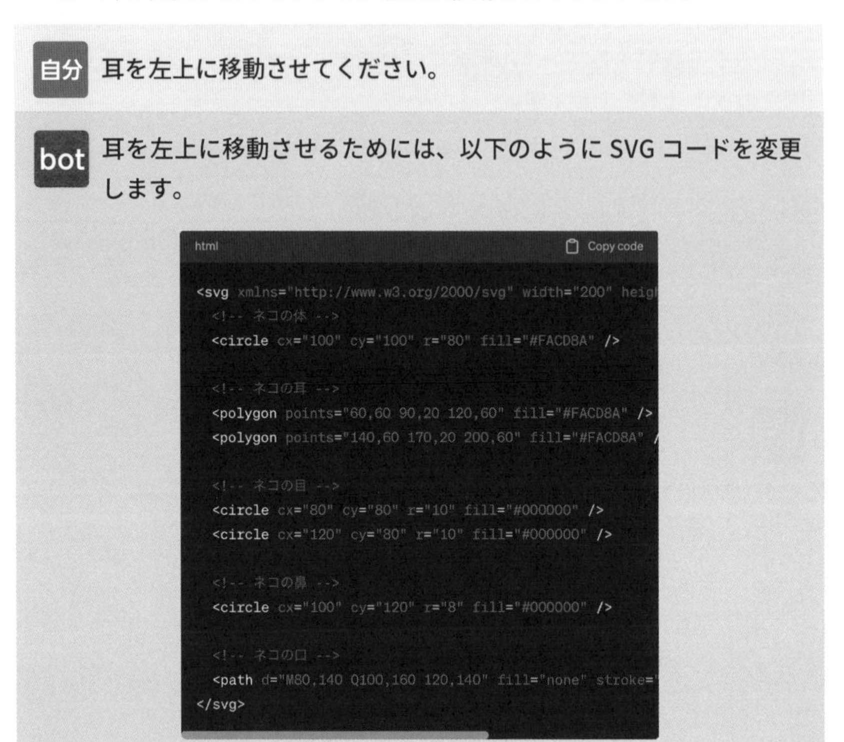

自分 耳を左上に移動させてください。

bot 耳を左上に移動させるためには、以下のように SVG コードを変更します。

```html
<svg xmlns="http://www.w3.org/2000/svg" width="200" heig
  <!-- ネコの体 -->
  <circle cx="100" cy="100" r="80" fill="#FACD8A" />

  <!-- ネコの耳 -->
  <polygon points="60,60 90,20 120,60" fill="#FACD8A" />
  <polygon points="140,60 170,20 200,60" fill="#FACD8A" /

  <!-- ネコの目 -->
  <circle cx="80" cy="80" r="10" fill="#000000" />
  <circle cx="120" cy="80" r="10" fill="#000000" />

  <!-- ネコの鼻 -->
  <circle cx="100" cy="120" r="8" fill="#000000" />

  <!-- ネコの口 -->
  <path d="M80,140 Q100,160 120,140" fill="none" stroke="
</svg>
```

この修正後の SVG ファイルを Web ブラウザで開くと、耳が左上に移動したネコの絵が描かれます。

4. もう少しネコらしくしたいので、ひげの追加をお願いします。

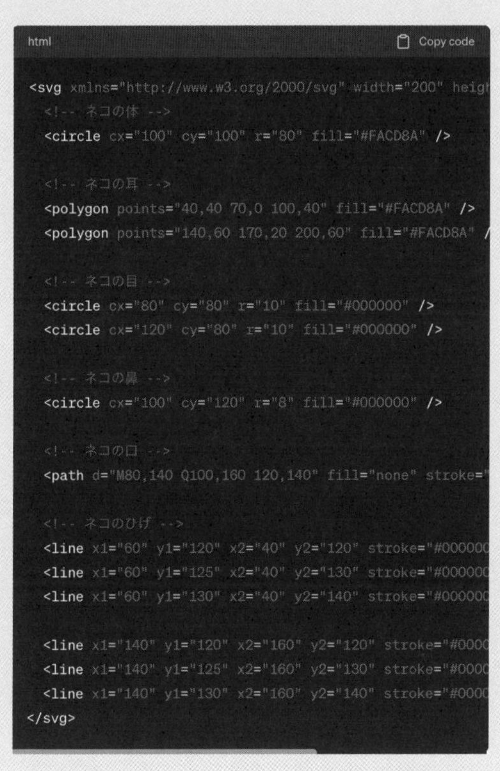

自分 ひげを追加してください

bot ひげを追加するために、以下のように SVG コードを変更します。

html Copy code

```
<svg xmlns="http://www.w3.org/2000/svg" width="200" heig
  <!-- ネコの体 -->
  <circle cx="100" cy="100" r="80" fill="#FACD8A" />

  <!-- ネコの耳 -->
  <polygon points="40,40 70,0 100,40" fill="#FACD8A" />
  <polygon points="140,60 170,20 200,60" fill="#FACD8A" /

  <!-- ネコの目 -->
  <circle cx="80" cy="80" r="10" fill="#000000" />
  <circle cx="120" cy="80" r="10" fill="#000000" />

  <!-- ネコの鼻 -->
  <circle cx="100" cy="120" r="8" fill="#000000" />

  <!-- ネコの口 -->
  <path d="M80,140 Q100,160 120,140" fill="none" stroke="

  <!-- ネコのひげ -->
  <line x1="60" y1="120" x2="40" y2="120" stroke="#000000
  <line x1="60" y1="125" x2="40" y2="130" stroke="#000000
  <line x1="60" y1="130" x2="40" y2="140" stroke="#000000

  <line x1="140" y1="120" x2="160" y2="120" stroke="#0000
  <line x1="140" y1="125" x2="160" y2="130" stroke="#0000
  <line x1="140" y1="130" x2="160" y2="140" stroke="#0000
</svg>
```

この修正後の SVG ファイルを Web ブラウザで開くと、ひげが追加されたネコの絵が描かれます。

2024年には画像や音も扱えるように

2023 年現在、ChatGPT はテキストしか使えません。そのため、絵を描いたり、作曲したりすることが苦手です。しかし、2024年には「画像」や「音」も扱えるようになることが、開発元の OpenAI から発表されています。今から楽しみですね。

4.5 アスキーアートを描いてもらう

概要

アスキーアートは、文字や記号を使って絵を描く表現手法です。

今度はChatGPTにアスキーアートを挑戦してもらいましょう。

テキスト（文字）であればChatGPTなら得意かな ... と思ったのですが思ったより上手ではなさそうです。

使い方

1. ChatGPTにネコの「アスキーアート」を描いてもらいます。

自分 ネコのアスキーアートを描いてください。

bot もちろんです！以下はネコのアスキーアートです：

```scss
 /\_/\
( o.o )
 > ^ <
```

このアスキーアートは、ネコの耳、目、そして鼻を表現しています。ネコのかわいらしさを表現するために、簡潔ながらも特徴的な要素を含んでいます。お楽しみください！もし他に何か描きたいものがあれば、お知らせください。

2. ChatGPT にイヌの「アスキーアート」を描いてもらいます。

自分 イヌのアスキーアートを描いてください。

bot こちらはイヌのアスキーアートです：

```javascript
  / \__
(    @\___
 /         O
/   (_____/
/_____/   U
```

このアスキーアートは、イヌの頭と体を表現しています。イヌの特徴的な耳や目、そして鼻を描いています。また、おなかの下にはしっぽがある様子も表現されています。イヌの愛らしさと活発さをイメージして描かれています。お楽しみください！もし他に何か描きたいものがあれば、お知らせください。

3. ChatGPT にニワトリの「アスキーアート」を描いてもらいます。

自分 ニワトリのアスキーアートを描いてください。

bot 以下はニワトリのアスキーアートです：

```arduino
    \\
    (o>
\\_//)
 \_/_)
  _|_
```

このアスキーアートは、ニワトリの姿をシンプルに表現しています。ニワトリのくちばしや羽、そして尾をイメージして描かれています。

ニワトリの特徴的な形や姿勢を伝えるために、細部にこだわっています。お楽しみください！もし他に何か描いてほしいものがありましたら、お知らせください。

AIと著作権の関係等について

文化庁ならびに内閣府が2023年5月30日に公開した文書「AIと著作権の関係等について」では、画像生成AIの利用段階において、AI生成画像をアップロードして公表したり、複製物を販売したりする場合の著作権侵害の判断は、私的な鑑賞/行為などを著作権法で利用が認められている場合を除き、通常の著作権侵害と同様に扱うとしています。つまり、人間が描いた場合と同様にあつかわれます。

AI生成した画像を公開する時は、自分で描いた絵を公開する時と同様に、著作権侵害にあたらないかどうかを確認してから公開しましょう。

・AIと著作権の関係等について
https://www8.cao.go.jp/cstp/ai/ai_team/3kai/shiryo.pdf

4.6 画像生成AI用のプロンプトを作成してもらう

概要

画像生成 AI は、文章から画像を生成するための人工知能です。画像生成 AI に指示する文章は**プロンプト**と呼ばれ、AI に対してどんな画像を生成してほしいかを伝える役割があります。最近では、日本語でプロンプトを書けるサービスも増えてきましたが、まだまだ英語キーワードで伝えたほうが、思い通りの画像を生成してくれます。

そこで今回は、ChatGPT に日本語の文章から、画像生成 AI のプロンプトを作成をお願いしてみます。

使い方

1. 日本語の文章から、画像生成 AI のプロンプトを作成してもらいます。今回は、「ネコ耳帽子をかぶった女の子が、海の浜辺でかき氷を食べてる。」「空には太陽と入道雲。」「絵のスタイルは日本のアニメ風。」と指示しました。

自分

画像生成 AI のプロンプトを作成します。
次の文章から、名詞、動詞、形容詞のみのキーワードリストを作成してください。
キーワードは英語に翻訳してください。
キーワードの数は 10 個以上 40 個以下にしてください。
出力書式は「keyword, keyword, keyword, (以下ループ)」

ネコ耳帽子をかぶった女の子が、海の浜辺でかき氷を食べてる。
空には太陽と入道雲。
絵のスタイルは日本のアニメ風。

bot **cat ear hat, girl, sea, beach, shaved ice, eat, sky, sun, cumulus clouds, art style, Japanese anime-style**

2. 作成したプロンプトを画像生成 AI に入力してみましょう。今回は、Microsoft の画像生成 AI として「Image Creator」を使います。無料で利用できます。Image Creator のサイトをブラウザで開き、「参加して作成」ボタンを押し、Microsoft アカウントでログインしてください。Microsoft アカウントを持ってない場合は作成する必要があります。

・Image Creator
https://www.bing.com/create

3. テキストボックスに先ほど作成したプロンプトを入力して、「作成」ボタンを押します。

Part 4 創作

次のような画像が生成されました。

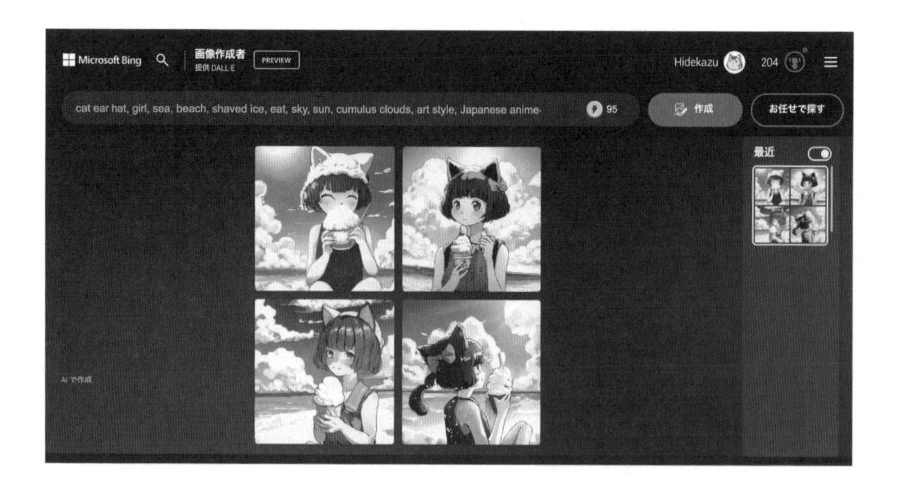

いろいろな画像生成 AI

Image Creator の他にも、**Stable Diffusion**（ステーブルディフュージョン）、**Midjourney**（ミッドジャーニー）などさまざまな画像生成 AI が存在します。Stable Diffusion は Stability AI が提供する AI で、2022 年 8 月にオープンソースとして無償公開され、多くの画像生成モデルやサービスの創出を促しました。一方、Midjourney はアーティスティックな作風を得意とする有料の画像生成 AI で、制限付きではありますが無料でも利用可能です。

4.7 テキストアドベンチャーゲームを作成してもらう

概要

ChatGPTに**テキストアドベンチャーゲーム**を作ってもらうことができます。テキストアドベンチャーゲームは、主にテキストベースで進行し、プレイヤーが物語や世界を探索し、選択肢やコマンドを入力してゲームを進める形式のゲームです。このゲームは、グラフィックや音声の使用を最小限に抑え、プレイヤーの想像力を引き出すことに重点を置かれています。

使い方

1. ChatGPTに「テキストアドベンチャーゲーム」を作成してもらいます。ゲームのルールを与えることで、そのルールに従ってゲームを進行してくれます。

自分
テキストアドベンチャーゲームをはじめましょう。
プレイヤーは普通の学生が魔法少女に変身して、友情や正義のために戦うストーリーです。
魔法の力を使いながら、仲間と共にモンスターとの戦闘や謎解きに挑戦します。
毎回、選択肢 (A, B) を私の選択肢として与えてくれます。

bot
素晴らしいです！テキストアドベンチャーゲームを始めましょう。

ある日、普通の学生であるあなたは、魔法の力を手に入れることになりました。突如現れた不思議な宝石が、あなたの前に輝いていました。その宝石を手にすると、あなたは美しい魔法少女に変身することができるのです。
あなたはこの力を使って友情と正義のために戦うことを決意しました。新たな冒険が始まる前に、まずは仲間を選ぶ必要があります。

以下の選択肢から一人を選んでください。

A) 明るく元気な女の子、さくら
B) 知識豊かで冷静な少年、ユウキ

2. 「A」と「B」の2つの選択肢が与えられたので、「A」を選んでみます。

自分 A

bot 素敵な選択です！明るく元気な女の子、さくらと一緒に冒険を始めましょう。

さくらとあなたは、魔法の力を使って街を守ることに決めました。街には最近、不気味なモンスターが出現し、人々を脅かしています。あなたたちはモンスターの出現場所を調べるため、魔法の本に記された古代の知識を頼りに図書館へ向かいます。図書館の中は静かで落ち着いた雰囲気が広がっています。さくらが興味津々で本を探している一方、あなたは奥深い書棚の一角に目を留めます。

A) さくらと一緒に本を探す
B) 奥深い書棚の一角を調べる

3. 選択肢の選択を繰り返しつつ物語を進行させ、ハッピーエンドを目指しましょう。

AIでゲームが変わる？

海外ではひと足早くChatGPT以前から「AI Dungeon」というゲームが人気です。プレイヤーが自由な冒険物語を作り出すことができる、テキストベースのアドベンチャーゲームです。プレイヤーは自分の行動をテキストで入力し、AIがそれに応じてストーリーを進めることができます。
日本でも「AIアートインポスター」というゲームが人気になりました。テーマに沿った絵をAIに描いて遊ぶAIお絵描きパーティーゲームで、テーマを知らない偽物アーティストをあてるゲームになります。
これからAIによってどのようなゲームがでてくるのか期待しましょう。

4.8 俳句を詠んでもらう

概要

ChatGPT は、「俳句」を詠むこともできます。俳句は、日本の伝統的な詩の形の 1 つで、5-7-5 の短い言葉で自然や季節の風景、感情、思索などを表現します。また、季節を表す「季語」を含めることが求められます。

ChatGPT にテーマと季語を与えて俳句を詠んでもらいましょう。

使い方

1. ChatGPT に「俳句」を考えてもらいます。希望するテーマと季語を伝えています。

自分 あなたはプロの俳人です。
「ネコ」をテーマに 5-7-5 の俳句を作成してください。
「春眠」という季語を必ず入れてください。

bot 春眠の
ネコの背中に
夢の跡

2. この「俳句」をどのように考えて書いたか説明してもらいましょう。

自分 この俳句を解説してください。

bot この俳句は「春眠」という季語をテーマにしたものです。春の眠りから目覚める瞬間を描写しています。

「春眠の」という冒頭の五音（5）は、春の季節に眠りから目覚める様子を表現しています。春は自然が目覚め、生命力が活発になる季

Part 4 創作

節であり、それを人やネコにも重ねています。
「ネコの背中に」という七音（7）では、ネコの背中を具体的に描写しています。ネコは寝ている姿勢が美しく、その背中にはまるで夢が宿っているかのようなイメージを持たせています。
最後の五音（5）の「夢の跡」は、ネコが眠りから覚めた後に残る夢の影を表現しています。ネコは夢を見る生き物として知られており、春の目覚めとともに夢の痕跡が残っている様子を描いています。

この俳句は、春の季節とネコのイメージを組み合わせて、目覚める瞬間や夢の存在を表現しています。自然と動物というテーマを通じて、季節の営みと生命の循環を感じさせる俳句となっています。

ChatGPTは音数を把握するのが苦手

今回はうまくいきましたが、ChatGPT は、単語の音数を間違うことがよくあります。
ChatGPT は、大量の文章で学習していますが、文章からだけだと、漢字の音数はなかなか把握しづらいのかと思われます。

4.9 プロットをまとめてもらう

概要

漫画を描きたいのだけど、プロットがなかなかまとまらない。そんな時もChatGPT は役立ちます。

プロットは、物語の基本的な構造や展開をまとめたものです。

ChatGPT とのやりとりを繰り返していくうちに、漫画のプロットができあがっていきます。

使い方

1. ChatGPT に、漫画のプロットの作成のサポートをお願いします。

自分 あなたはプロの漫画編集者です。
私が漫画のプロットをまとめるサポートしてください。
追加で必要な情報があれば質問してください。

bot もちろんです、漫画のプロット作成にお手伝いいたします！
まず最初に、漫画のジャンルやテーマについて教えていただけますか？
また、どのようなストーリーを描きたいのか、主人公やキャラクターの情報も教えてください。
それに基づいて、一緒にアイディアをまとめましょう！

2. ChatGPT に漫画のトピックを伝えます。

自分 バトル漫画が書きたいです。舞台は神保町

bot 素晴らしいです！バトル漫画で舞台が神保町という設定ですね。それでは、まず主人公について考えてみましょう。

主人公の性格や特徴、バックストーリーなどについて考えてみてください。また、主人公が何者なのか、どのようなバトルに参加するのか、目標やモチベーションは何かなど、具体的な情報を教えてください。

それから、主人公のライバルや仲間キャラクターについても考えましょう。どんな関係性がありますか？各キャラクターの個性やスキルについても考慮しましょう。
これらの情報を教えていただければ、より具体的なアイディアを考えることができます。お待ちしています！

3. ChatGPTと相談しながら、漫画のプロットを形にしていきます。

自分

主人公は異常なまでの愛読書家。紙を自由に操れる能力を持つ。
ライバルは本の異常なまでの収集家。本の登場人物になりきれる能力を持つ。

bot

素晴らしい設定です！それでは、主人公とライバルの能力を活かしたエキサイティングなストーリーラインを考えてみましょう。

主人公は紙を自由に操る能力を持っているので、彼のバトルスタイルは紙を武器として使うことができます。彼は自身の愛読書を紙の中から取り出し、それを使って攻撃や防御を行います。また、彼の紙を操る能力によって、独自の戦術や戦略を展開することも可能です。
一方、ライバルは本の登場人物になりきれる能力を持っています。彼は本の中から飛び出し、物語のキャラクターたちとして現実世界で戦います。彼の能力は多様で、さまざまなキャラクターの特性や技を使いこなすことができます。主人公とのバトルでは、彼のなりきるキャラクターの特性を利用して戦略を練ります。
物語の舞台は神保町ですので、神保町の古書店や漫画喫茶、書店などが重要なロケーションとなります。主人公とライバルが本の中や書店でバトルを繰り広げる様子を描くことができます。

主人公とライバルの関係性は競争心に溢れており、互いに自分の能力を認め合いつつ、一歩も譲らないライバル関係としましょう。彼らは神保町の中で優れた読書家たちとして知られ、その地位をかけて激しいバトルを繰り広げます。
また、仲間キャラクターも考えましょう。主人公の愛読書を具現化する能力を持つキャラクターや、神保町の書店や古書店の店主など、個性的なキャラクターたちが物語に加わります。

以上の要素を基に、エキサイティングなバトルと読書愛に満ちたストーリーを構築していきましょう。どのような展開やエピソードがあると面白いと思いますか？

自分 主人公の持ってる愛読書をライバルが奪いに来て戦うことになる。

bot 素晴らしい展開です！主人公の愛読書を巡るバトルが物語の中心になりますね。

物語の始まりは、主人公が神保町の書店で愛読書を探している場面から始めましょう。突然、ライバルが現れ、主人公の持っている愛読書を奪おうとします。ライバルは本の登場人物になりきる能力を使って、愛読書の世界に入り込み、主人公との戦いを挑んできます。
主人公は自身の紙を操る能力を駆使して、ライバルとのバトルに臨みます。彼は愛読書のキャラクターたちを紙から具現化し、戦闘や戦略に利用します。また、主人公は自分自身も紙の中に入り込むことができ、ライバルとの戦いの中で新たな技や能力を発見していきます。
バトルは神保町の書店や古書店の中で展開され、本棚や書籍の山、漫画のページなどを戦場として利用します。主人公とライバルは、緻密な戦略とキャラクターたちの特性を駆使しながら、壮絶な戦いを繰り広げます。
物語は、バトルの中で主人公とライバルの関係性が深まり、お互いに成長していく様子を描きます。また、他の読書家や書店の人々も、主人公とライバルのバトルに巻き込まれていくことで、物語にさらなるドラマや展開をもたらします。
最終的には、主人公とライバルが壮絶な戦いの末に決着をつけます。そして、物語の結末では、彼らのバトルを通じて読書の素晴らしさや物語の力、そして友情や競争の意義について考えさせる感動的な瞬間を描くことができます。

このようなストーリーラインを基に、さらに詳細なエピソードやキャラクターの関係性を考えてみてください。また、バトルの中で主人公とライバルがどのように成長し、どのような試練に立ち向かうのか、それらの要素を盛り込むことで、読者を引き込む魅力的な物語になるでしょう。

4. 漫画のプロットを読んで、イメージと違う部分を直してもらいながら、プロットを完成品に近づけていきましょう。

小説をサポートするAI

ChatGPTの登場以前から、日本では小説を書くAIの開発が活発です。有名所では、「AIのべりすと」や「AI Buncho」などがあります。小説の書き出し部分、キャラクターやテーマを指定することで、小説を書いてくれるAIになります。ChatGPTの登場によって、この流れはさらに加速しています。今後はAIと人間の協力して小説を書くのが、スタンダードになってくるのかもしれません。

4.10 ブログタイトルを考えてもらう

概要

ブログの読者をもっと増やしたい時、ブログタイトルはとても重要です。よほどの有名人でなければ、そのコンテンツを見るかどうかは「タイトル」にかかってきます。

ChatGPT に頼めば、目的に応じた効果的なブログのタイトルを提案してくれるため、とても助かります。

使い方

1. ChatGPT にブログタイトルの作成を頼みます。ブログ記事は長文のため、どこまでが指示で、どこまでが文章かわかりやすいように、「----」で区切りました。

以下のブログ記事のタイトルを 3 つ考えてください。

人工知能（AI）の分野では、近年驚異的な進歩が続いています。その中でも、OpenAI が開発した ChatGPT は、その優れた性能と卓越した能力で世界を驚かせました。この記事では、ChatGPT がいかにすばらしいかを詳しく探っていきます。

1. 汎用性の高さ：
ChatGPT は、自然言語処理（NLP）タスクにおいて非常に優れた性能を発揮します。それは、ユーザーとの対話や文章の生成、質問応答、要約など、さまざまなタスクに広範に対応できることを意味しています。そのため、研究者、エンジニア、ビジネスパーソン、個人ユーザーなど、さまざまな利用者に価値を提供することができます。

2. 豊富な知識と情報：
ChatGPTは、数多くの書籍、ウェブサイト、論文、フォーラムなどから学習した広範な知識を持っています。これにより、一般的な知識から特定の専門知識まで、さまざまなトピックに関する高品質な情報を提供できます。また、OpenAIが提供するAPIを使用することで、常に最新の情報にアクセスできます。

3. 自然な対話能力：
ChatGPTは、人間のような自然な対話を可能にします。その発話は、文法的に正確で適切な文脈に基づいて行われ、ユーザーとのコミュニケーションを円滑にします。また、ユーザーの発話に対して適切な返答を生成するだけでなく、会話の流れを理解し、関連する質問や詳細な説明を行うこともできます。

4. パーソナライズされた体験：
ChatGPTは、ユーザーの発話に対して個別に応答し、個別のニーズや好みに合わせた情報を提供します。これにより、ユーザーは特定のトピックについて詳細な情報を得たり、特定の要件に合わせたアドバイスを受けたりすることができます。ChatGPTは、人々が独自の経験を持ち、関心を持つトピックに関しても精度を保ちながらサポートできます。

ChatGPTは、その汎用性、知識の豊富さ、自然な対話能力、そしてパーソナライズされた体験の提供という点で、人工知能の世界における驚異的な飛躍と言えます。この技術は、教育、ビジネス、研究、エンターテイメントなど、多岐にわたる分野で重要な役割を果たしています。未来において、ChatGPTはますます進化し、私たちの生活を変える力を持つことでしょう。

1.「ChatGPT: 人工知能の驚異的な進化と可能性」
2.「ChatGPT：人工知能の新たな進化による汎用性の高さ」
3.「ChatGPT：自然な対話とパーソナライズされた体験を実現するAIの力」

2. 知的なビジネスマン向けにタイトルを考えてもらいましょう。

自分 もっと知的なビジネスマンにささりそうなタイトルを 3 つお願いします。

bot 1.「ChatGPT: ビジネス戦略の未知なるパートナーが解き放つ知識の宝庫」
2.「洗練されたビジネスマインドのための ChatGPT: 情報の精緻な分析と戦略的洞察力」
3.「ChatGPT がビジネスの頂点へ導く：知性と洞察に満ちたビジネスアシスタント」

3. 射幸心をあおったタイトルを考えてもらいましょう。怪しいニュースサイト風になります。

自分 もっと射幸心をあおる感じのタイトルを 3 つお願いします。

bot 1.「ChatGPT の魔法の力で、あなたの人生が一瞬で大逆転！？」
2.「限定公開！ ChatGPT がもたらす幸運の扉を開けよう！」
3.「超絶進化した AI アシスタント ChatGPT が、あなたの成功をサポート！一攫千金のチャンスは今！」

記事を書くのも ChatGPTにまかせる

最近では、ChatGPT が記事を書いているブロクも人気を集めています。特に、英語の YouTube 動画 を日本語で要約した記事は、その動画の概要を知ることができるのはもちろん、その動画を見るべきかどうかの判断材料になるため増えてきています。

4.11 Unityのプログラムを作成してもらう

概要

Unity（ユニティ）は、ゲーム開発に使用される開発環境です。ゲーム機やスマートフォンで実行できるゲームの多くはこのUnityで作られていて、ゲームプログラマーには必須の開発環境になります。

ChatGPTは、Unityのプログラムを作成することもできます。

使い方

1. ChatGPTに「Unity」のプログラムの作成をお願いします。今回は、立方体を回転させてもらいます。

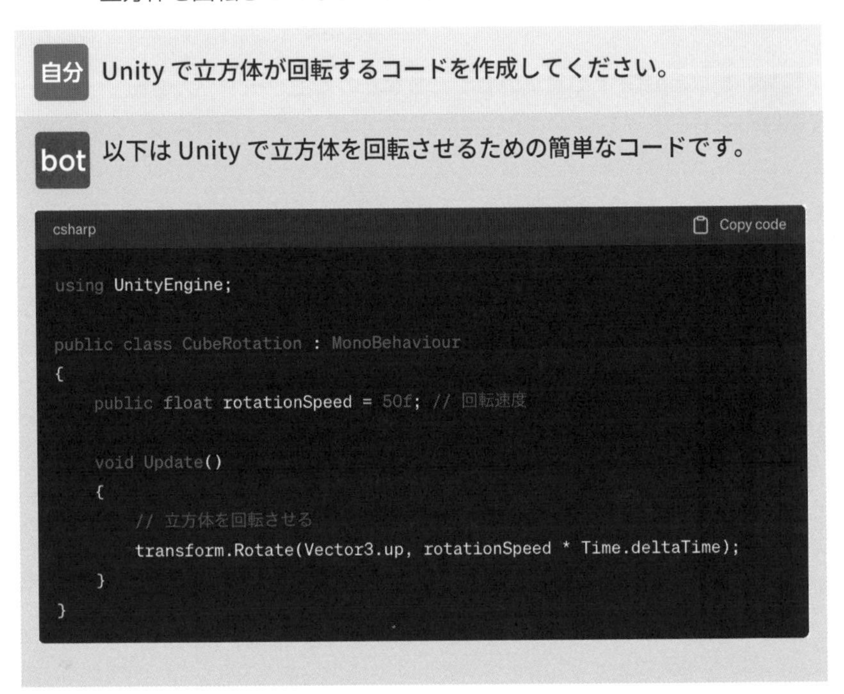

自分
Unityで立方体が回転するコードを作成してください。
bot
以下はUnityで立方体を回転させるための簡単なコードです。
csharp
Copy code
using UnityEngine;
public class CubeRotation : MonoBehaviour
{
public float rotationSpeed = 50f; // 回転速度
void Update()
{
// 立方体を回転させる
transform.Rotate(Vector3.up, rotationSpeed * Time.deltaTime);
}
}

このスクリプトをUnityのGameObjectにアタッチすると、そのオブジェクトはY軸を中心に指定した速度で回転します。

上記のコードを使用するには、以下の手順を実行します。

1. Unityのプロジェクトを開きます。
2. シーン内に回転させたいオブジェクト（立方体）を作成します。
3. 作成したオブジェクトを選択し、Inspectorウィンドウで「Add Component」ボタンをクリックします。
「New Script」を選択し、スクリプトの名前を「CubeRotation」と入力します。
4. スクリプトが作成されると、Unityのデフォルトのスクリプトエディタでスクリプトが開きます。コードを上記の内容で置き換えます。
5. シーン内で回転させたいオブジェクトにスクリプトをアタッチします。オブジェクトを選択し、Inspectorウィンドウの「Add Component」ボタンをクリックし、先ほど作成した「CubeRotation」スクリプトを選択します。
6. シーンを再生すると、立方体が回転します。

このコードはUpdate関数を使用しており、フレームごとに呼び出されるため、回転速度を調整することで回転の速さを制御できます。

2. 「Unity」の使い方を知ってる人は、「Unity」で実際に動かしてみましょう。Unityのプロジェクトを作成し、「＋ → 3D Object → Cube」で立方体を配置し、それに先程作成したプログラムを追加してください。プレイボタンで実行すると、立方体が回転します。

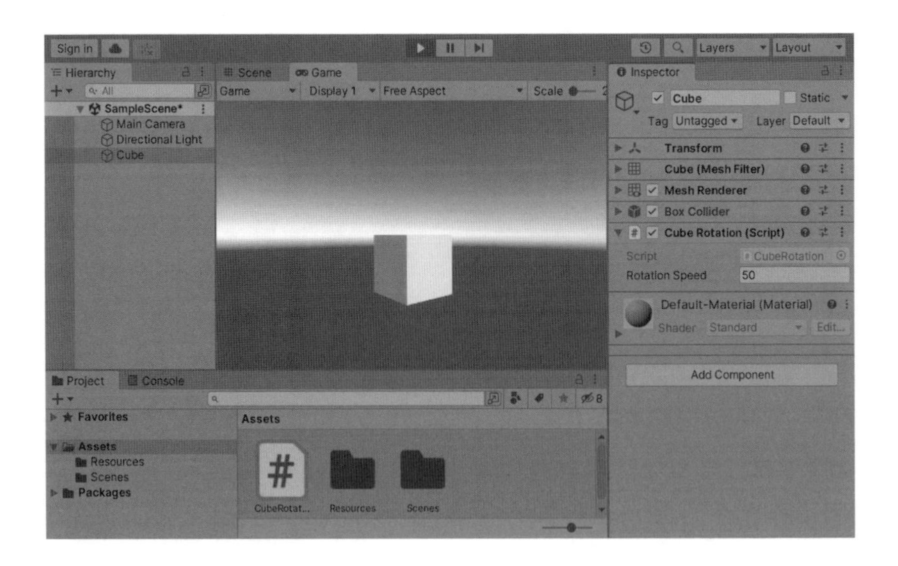

Unity と Unreal Engine

ゲーム開発に使用される開発環境で有名なものとして、Unity と **Unreal Engine**（アンリアルエンジン）の 2 つがあります。
Unity は C# というプログラミング言語で、さまざまなプラットフォームで動くゲームを作れます。Unreal Engine は C++ というプログラミング言語を使い、特に PC やコンソール向けのゲームに適しています。Unity のエディタは使いやすく、Unreal Engine は高度な機能がありますが、学習は難しいです。グラフィックの品質では Unreal Engine が優れており、リアルなゲームを作ることができます。

4.12 物語の感想を聞かせてもらう

概要

ChatGPT は物語を作成するだけでなく、物語の感想を聞くこともできます。

ChatGPT に想定読者になりきってもらって、物語を読んでもらいましょう。自分の表現したいことが読者に伝わってるか確認することができます。

使い方

1. ChatGPT に物語を読んでもらい、テーマが伝わっているか確認してみます。

あなたは、プロの編集者です。
以下の物語のテーマは何だと思いますか？

ある小さな町の高校生、佐藤花子は静かで内向的な性格でした。彼女は一つ上の学年に在籍する橘健太にずっと片思いを抱いていました。彼は学校の人気者で、人懐っこい性格で多くの友人に囲まれていました。

花子は健太と同じクラスに所属していましたが、彼女はいつも彼に話しかける勇気を持てませんでした。毎日、彼の活躍を見守り、彼との距離を縮める機会を探していましたが、いつも不器用になってしまい、自分の感情をうまく伝えることができませんでした。

ある日、学校で文化祭の準備が行われることになりました。花子はこの機会を利用して健太に接近しようと考えました。彼女はクラスメイトと協力し、文化祭のためのクラブ活動に積極的に参加しました。彼女は美術部に所属しており、美術展示の準備に取り組みました。

準備の中で、花子は健太と一緒に作業する機会を得ました。彼は彼女の描く絵に興味を持ち、花子の才能に感嘆しました。彼らはお互いに話し込み、笑顔を交わしました。花子はこの瞬間を心の中に刻みながら、自分の気持ちを伝える勇気を持つことができました。

文化祭当日、美術展示は多くの人々に賞賛されました。花子はドキドキしながらも、勇気を振り絞って健太に思いを伝えました。驚きと感動の表情を浮かべながら、健太は花子の告白に答えました。「花子、実は僕もずっと君のことを特別な存在と思っていたんだ。君の作品に心を奪われていたよ。」

二人は互いの気持ちを確かめ合い、恋人となりました。

bot この物語のテーマは「勇気と自己表現」です。物語は内向的な性格の主人公、佐藤花子が、片思いしている橘健太に自分の気持ちを伝えるために勇気を振り絞る姿を描いています。花子は自分の感情を伝えることに苦労しながらも、文化祭の準備を通じて健太と接近し、自己表現の機会を得ます。最終的に、彼女の勇気と自己表現が報われ、健太も彼女の存在に気付いていたことが明らかになり、二人は恋人となるのです。この物語は、自分の感情を表現することの重要性と、勇気を持って自分を表現することで新たな可能性を見つけることができるというテーマを探求しています。

2. テーマが伝わってなかった時は、ChatGPT にそのテーマで書き直してもらいます。

自分 私が表現したかったテーマは、「初恋の初々しさ」です。
「初恋の初々しさ」というワードを使わずに、「初恋の初々しさ」のテーマが伝わるよう物語を書き換えてください。

bot ある小さな町の高校生、佐藤花子は静かで内向的な性格でした。彼女は一つ上の学年に在籍する橘健太にずっと心を奪われていました。彼は学校の人気者で、人懐っこい性格で多くの友人に囲まれていました。

花子は健太と同じクラスに所属していましたが、彼女はいつも彼に話しかける勇気を持てませんでした。毎日、彼の活躍を見守り、彼との距離を縮める機会を探していましたが、いつも不器用になってしまい、自分の感情をうまく伝えることができませんでした。

ある日、学校で文化祭の準備が行われることになりました。花子はこの機会を利用して健太に接近しようと考えました。彼女はクラスメイトと協力し、文化祭のためのクラブ活動に積極的に参加しました。彼女は美術部に所属しており、美術展示の準備に取り組みました。

準備の中で、花子は健太と一緒に作業する機会を得ました。彼は彼女の描く絵に興味を持ち、花子の才能に感嘆しました。彼らはお互いに話し込み、微笑み合いました。花子はこの瞬間を心の中に刻みながら、自分の気持ちを伝える勇気を持つことができました。

文化祭当日、美術展示は多くの人々に賞賛されました。花子はドキドキしながらも、勇気を振り絞って健太に思いを伝えました。驚きと感動の表情を浮かべながら、健太は花子の告白に答えました。「花子、実は僕もずっと君のことを特別な存在と思っていたんだ。君の作品に心を奪われていたよ。」

二人は互いの気持ちを確かめ合い、恋人となりました。この新たな関係によって、花子は初めての恋の魔法に取り憑かれたように心躍らせました。

3. 書き直しのポイントを聞いてみます。

自分 「初恋の初々しさ」をどのように表現しましたか

bot 「初恋の初々しさ」を表現するために、以下のような要素を物語に盛り込みました。

1. 内向的な主人公の感情描写：主人公の佐藤花子の内向的な性格を強調し、彼女が健太に対して心を奪われる瞬間や彼との接触を通じて感じる緊張や興奮を描写しました。

2. 勇気を出して行動する決意：物語の展開で、花子が健太に近づくために文化祭の準備に積極的に参加し、彼と一緒に作業する機会を作ることに決意します。この決断は初恋の初々しさに向き合う勇気を示しています。

3. 双方の感情の交流：健太が花子の才能に興味を持ち、彼女の絵に感嘆の念を抱く場面を通じて、彼らの間にお互いへの特別な感情が芽生えていることを示しました。これにより、初恋の初々しさが伝わるでしょう。

4. 告白と感動の表情：文化祭当日、花子が勇気を振り絞って健太に思いを伝え、彼の驚きと感動の表情が描写されます。この場面では、初めての恋愛の告白と双方の感情の交流が結実し、初恋の初々しさが最高潮に達する瞬間となっています。

これらの要素を通じて、物語が初恋の初々しさを伝えるように工夫しました。

クォリティ重視ならChatGPT Plus(GPT-4) + 英語

ChatGPTの回答のクォリティを求めるのであれば、**ChatGPT Plus(GPT-4)** を使って**英語**で質問するのがおすすめです。
ChatGPT(無料版)とChatGPT Plus(GPT-4)も大きな差がありますが、質問を日本語で行うか英語で行うかでも大きな差があります。

Part 5

勉強

5.1 英会話の練習相手になってもらう

概要

ChatGPT は、英会話の練習相手にもなってくれます。

人間ではないので気を使う必要はなく、自分の好きなシチュエーションで、いつでもどこでも練習に付き合ってくれるのが利点です。

最後に採点をお願いすると、良かったところ、悪かったところを教えてくれます。

使い方

1. ChatGPT に英会話の練習相手を頼みます。

自分
あなたは優秀な英語教師です。
これから私と英会話のレッスンを行います。
返答はすべて英語で行なってください。
50 単語以内で返答してください。
自己紹介から始めてください。

bot
Hello! I'm ChatGPT, an AI language model, and I'll be your English conversation teacher today. How can I assist you with your English lesson?

2. 英語で会話しましょう。

自分
Let's talk about Japanese anime today. Do you have a favorite anime?

bot
As an AI, I don't have personal preferences, but I'm

knowledgeable about various anime series. What anime would you like to discuss or ask about?

自分 My Neighbor Totoro

bot "My Neighbor Totoro" is a wonderful anime film directed by Hayao Miyazaki. It tells the story of two sisters, Satsuki and Mei, who encounter friendly forest spirits, including the lovable Totoro. The film beautifully captures the magic of childhood and the importance of imagination. Released in 1988, it remains a beloved classic among anime fans worldwide. Is there anything specific you'd like to discuss about "My Neighbor Totoro"?

自分 i like cat bus

bot The Catbus is indeed a memorable and enchanting character from "My Neighbor Totoro"! This extraordinary creature is a combination of a cat and a bus, with its wide grin and glowing eyes. The Catbus serves as a magical mode of transportation, taking the characters on whimsical adventures through the forest. Its ability to disappear and reappear adds to its charm. The Catbus has become an iconic symbol of the film and is adored by fans of all ages. What do you find most fascinating about the Catbus?

3. レッスン終わりに採点してもらいましょう。

自分 今日の英会話レッスンはこれで終わりにしましょう。
採点してもらってよいですか？

bot もちろん、採点いたします。どのような基準で採点を希望されますか？どの項目を評価すべきか、教えてください。

英語できちんとコミュニケーションとれていたかどうかで採点していただけますでしょうか？

では、コミュニケーションの評価に基づいて採点いたします。
お客様との会話では、英語でのコミュニケーションが円滑に行われていて、相手との意思疎通に困ることはありませんでした。

コミュニケーションの評価において、高い得点をお伝えいたします。
お疲れ様でした！

ChatGPTは英会話が一番得意

ChatGPT は英会話が一番得意です。サンフランシスコ生まれなので英語圏の知識も豊富です。ChatGPT は、学習時にもっともらしい会話をすることを重点的に学んでるため、英語の文法も大得意です。

5.2 英単語から英文を作成してもらう

概要

「英単語」を覚えるのは、退屈で楽しくない勉強です。しかし、ChatGPT を使えばそんな勉強を楽しくすることができます。

自分の好きなシナリオで、覚えたい英単語を使った「英文」を作成（英作文）してもらいましょう。自分の好きなシナリオの英文を読んでいるうちに、自然と使われている英単語を覚えることができます。

使い方

1. 自分の好きなシナリオを指定して、覚えたい英単語を使った英文を作成してもらいます。シナリオは秋葉原を舞台にしてもらいます。英単語の難易度は中学 1 年生にしてます。

以下の英単語と中学 1 年生で習う英単語だけを使って英文を作成してください。
秋葉原を舞台にしたシナリオにしてください。

melody
machine
between

In Akihabara, a vibrant and bustling city, a young girl named Melody discovered a mysterious machine hidden between the crowded streets.

2. 「英単語」が見やすいように「英単語」を <> で囲んでみましょう。

自分 使用した英単語は <> で囲んでください。

bot In Akihabara, a vibrant and bustling city, a young girl named <Melody> discovered a mysterious <machine> hidden <between> the crowded streets.

3. 最後に、作成した「英文」を日本語に訳してみます。

自分 英文を日本語に訳してください。

bot 秋葉原の活気に満ちた都市で、ある若い女の子の名前はメロディでした。彼女は混雑した通りの間に隠された、謎の機械を発見しました。

自分だけの教材を作成しよう

ChatGPT を使えば、あっというまに自分だけの教材を作成できます。上記では英単語から英文を作りましたが、ネット上にある自分の好きな文章から英文を作成するのも楽しいです。

5.3 英文から単語表を作成してもらう

概要

英文を読む時、わからない「英単語」が出るたびに、英語辞書を引くのはとても面倒です。

ChatGPT に頼めば、あらかじめ日本語の意味つきの単語表を作成しておくことができます。

使い方

1. ChatGPT に**英文から単語表を作成**してもらいます。ついでに、日本語の意味を付けて、ABC 順に並べ替えてもらってます。

自分

次の文章から単語を抜き出し、表形式で日本語の意味をつけてください。
単語は ABC 順に並べ替えてください。

In the bustling streets of Akihabara, a melodic tune filled the air, drifting from a small arcade machine. Passersby paused, caught between the vibrant sounds and the allure of the colorful screens.

単語	日本語の意味
Akihabara	秋葉原
arcade	アーケード、ゲームセンター
air	空気、大気
allure	魅力、誘惑
bustling	にぎやかな、活気に満ちた
caught	捕まえられた、捕捉された
colorful	色彩豊かな、カラフルな
drifting	漂う、漂いながら進む
filled	満たされた、いっぱいになった
from	から、より
machine	機械、マシン
melodic	メロディックな、美しい旋律の
of	の、から、に
paused	一時停止した、立ち止まった
Passersby	通行人
screens	スクリーン、画面
small	小さな、ちいさな
sounds	音、音響
streets	通り、道路
the	その、その上の
tune	曲、メロディ
vibrant	活気に満ちた、生き生きとした

2. Excel などで使いたい場合は、**「CSV 形式」**のコードに変換してもらうと良いでしょう。生成されたコードの右上の [Copy Code] をクリックし、テキストエディタ上でペーストした後「単語 .csv」などのファイル名で保存すれば Excel などで開くことができます。

自分 **CSV のコードに変換してください。**

bot 以下は、与えられた情報を CSV 形式のコードに変換したものです。

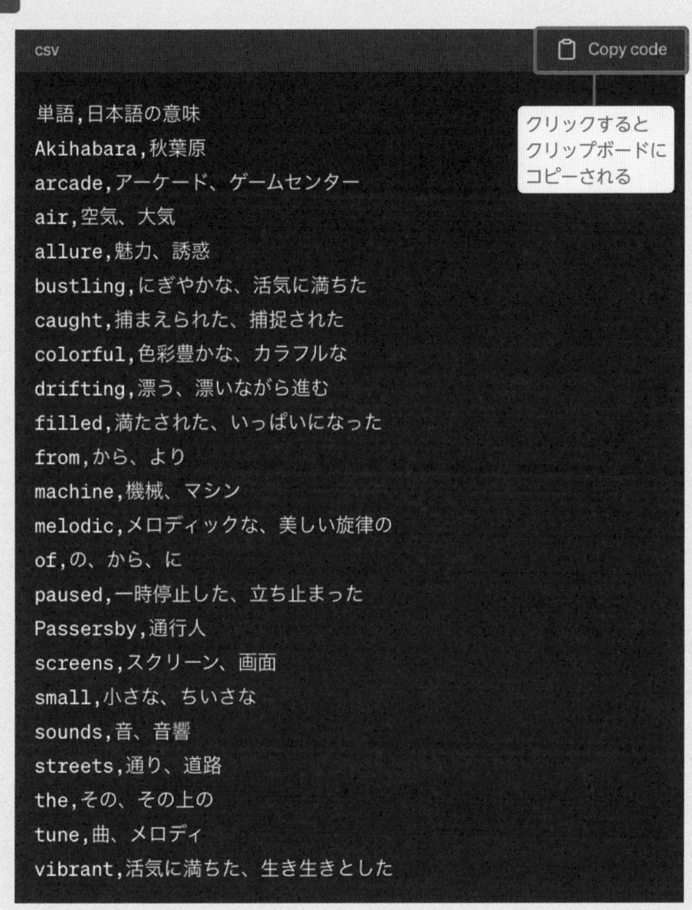

```csv
単語,日本語の意味
Akihabara,秋葉原
arcade,アーケード、ゲームセンター
air,空気、大気
allure,魅力、誘惑
bustling,にぎやかな、活気に満ちた
caught,捕まえられた、捕捉された
colorful,色彩豊かな、カラフルな
drifting,漂う、漂いながら進む
filled,満たされた、いっぱいになった
from,から、より
machine,機械、マシン
melodic,メロディックな、美しい旋律の
of,の、から、に
paused,一時停止した、立ち止まった
Passersby,通行人
screens,スクリーン、画面
small,小さな、ちいさな
sounds,音、音響
streets,通り、道路
the,その、その上の
tune,曲、メロディ
vibrant,活気に満ちた、生き生きとした
```

CSVって何？

CSV(Comma Separated Values) は、テキストを **カンマ (,) 区切り** で表記するファイル形式です。データを表形式で保存するために広く使用されています。CSV 形式にすることで、Excel などさまざまなアプリケーションで読み込んで利用できるようになります。

Part 5 勉強

5.4 文章をやさしく要約してもらう

概要

教科書や参考書を読んでいる時、文体が難しすぎて、頭に入ってこないことがよくあります。そんな時は、ChatGPT に、小さな子供でもわかるように要約してもらいましょう。

やさしい文体で説明してもらうことで、情報の理解促進につながります。

使い方

1. はじめに、ChatGPT に歴史上の人物「ペリー」について聞いてみます。

自分 黒船で有名なペリーはどんな人ですか？

bot 黒船で有名なペリーとは、マシュー・カルブレイス・ペリー提督のことを指しています。彼は 19 世紀のアメリカ海軍の提督であり、日本との関係で特に重要な役割を果たしました。

1853 年と 1854 年に、ペリー提督は指揮するアメリカ合衆国の艦隊とともに、日本を訪れました。この時の船団には、黒く塗られた船（黒船）も含まれており、その姿から「黒船」と呼ばれるようになりました。
ペリー提督は、江戸幕府との交渉を通じて、日米和親条約（浦賀条約）を締結しました。この条約により、日本はアメリカとの間で外交関係を持つこととなり、通商や領事裁判権などの条約条件が含まれていました。これにより、日本の国際関係や外交政策が大きく変化し、幕末の動乱期における重要な転換点となりました。

ペリーの来航と日米和親条約の締結は、日本の長い鎖国政策が終わり、国際社会との接触が進むきっかけとなりました。この出来事は、日本の近代化と西洋文化の導入にも影響を与え、その後の歴史に大きな変革をもたらしました。

2. 文体が難しすぎて頭に入ってこないので、小学生向けに要約してもらいます。文章が短くなったこともあり、かなり理解しやすくなりました。

自分 小学生向けに要約してください。
200文字以内でお願いします。

bot ペリー提督は、アメリカの海軍の指導者でした。
彼は1853年に黒い船で日本を訪れ、日本とアメリカの間に友好な関係を築くための条約を結びました。
この出来事は、日本の歴史において大きな変化をもたらしました。

3. さらに、幼稚園児向けに要約してもらいます。これで、子供にも理解してもらうことができます。

自分 幼稚園児向けに要約してください。

bot ペリーさんはアメリカのおじいさんで、大きな船に乗って日本に来ました。
彼の来たおかげで、日本は外国と友達になって、いろんなことを知ることができるようになりました。
とってもすごい人なんだよ！

パーソナライズって何？

パーソナライズとは、個人の特性や好みに合わせてサービスを提供することを指します。「パーソナライズ」できることはAIの大きな強みになっています。将来的には、書籍もパーソナライズされ、読む人に合わせて文体が変わる本も登場するかも知れませんね。

5.5 文章をたとえ話で説明してもらう

概要

教科書や参考書を読んでいる時、あまり興味のない内容だと、読む気力がわかないことがあります。そんな時は、ChatGPT に、たとえ話で説明してもらいましょう。**たとえ話**は、抽象的な概念や複雑なアイディアを、比喩表現でわかりやすく解説する手法です。

自分の慣れ親しんでいることの「たとえ話」から入ることで、情報の理解促進につながります。

使い方

1. はじめに、ChatGPT に歴史上の人物「坂本龍馬」について聞いてみます。

自分 坂本龍馬はどんな人ですか？

bot 坂本龍馬は、19 世紀の日本の武士、政治家、革命家です。彼は幕末時代の重要な人物であり、日本の近代化と明治維新の運動において重要な役割を果たしました。

坂本龍馬は 1836 年に土佐藩（現在の高知県）に生まれました。幼少期から剣術や学問を学び、優れた才能を示しました。彼は後に土佐藩の藩校である明倫館に入学し、藩の政治や武術を学びました。
幕末時代、日本は幕府による封建制度によって支配されていましたが、西洋列強の圧力や国内の不満が高まり、国の未来についての議論が巻き起こっていました。坂本龍馬はその中で自由で平等な社会を目指し、幕府の改革や外国との交流を提唱しました。
彼は薩摩藩の志士である西郷隆盛とともに活動し、長州藩や他の勢力とも連携しました。彼はまた、海援隊という私設海軍を創設し、西洋の軍艦や兵器を導入して近代的な戦力を整備しました。
坂本龍馬はまた、長崎や横浜などの港湾都市で外国人との交流を図り、外交的な関係を築くことを試みました。しかし、彼の活動は幕府の保守派や反対勢力からの強い反発を受け、1867年に京都で暗殺されました。

坂本龍馬はその短い生涯でしたが、彼の革新的な思想と行動は日本の歴史に大きな影響を与えました。
彼は日本の国民的英雄として尊敬されており、彼の功績は今日でも称えられています。

2. 文章の内容が難しすぎて頭に入ってこないので、「たとえ話」で説明してもらいます。

自分 桃太郎でたとえてください。

bot 坂本龍馬を桃太郎でたとえると、以下のようになります。

坂本龍馬は桃太郎としてたとえると、桃から生まれた勇敢な少年であり、日本の未来を変えるために立ち上がった英雄です。

・桃太郎は鬼に立ち向かうために旅立ちますが、坂本龍馬もまた幕府という鬼に立ち向かうために活動しました。
・桃太郎が動物たちと仲間になり、共に鬼を倒しましたが、坂本龍馬も薩摩藩や長州藩などの志士たちと協力し、共に幕府に立ち向かうために行動しました。
・桃太郎は鬼退治のために勇敢さや知恵を駆使しましたが、坂本龍馬もその政治的な才能や外交的な手腕を活かし、幕末の政治的な闘いにおいて重要な役割を果たしました。
・桃太郎は平和な日本を築くために奮闘しましたが、坂本龍馬もまた近代化や自由民権の実現など、平和で進歩的な日本の建設に向けて尽力しました。

このように、坂本龍馬は桃太郎と同様に、時代の鬼に立ち向かい、勇敢に戦い、日本の未来に大きな影響を与える英雄的な存在でした。

桃太郎である「坂本龍馬」が、動物達である「薩摩藩」や「長州藩」と協力して、鬼である「幕府」を倒そうとしたことがわかります。

ハルシネーションって何？

ハルシネーション（Hallucination）とは、実際には存在しない感覚体験を経験する現象のことです。チャットAIでは、もっともらしいウソを言うことは「ハルシネーション」と呼ばれています。
将来的にハルシネーションは少なくなっていくことが予想されますが、人間と同じで100%正しいことを回答するわけではありません。チャットAIはハルシネーションがある前提のもと、よき相棒として付き合っていきましょう。

5.6 文書を箇条書きで説明してもらう

概要

　教科書や参考書を読んでいる時、文量が多すぎて、読む気力がわかないことがあります。そんな時は ChatGPT に、**箇条書き**でまとめてもらいましょう。「箇条書き」とは、情報やアイディアを順序立てて短い文で表現する書き方になります。

　箇条書きで重要な事柄をおさえることで、情報の理解促進につながります。

使い方

1. はじめに ChatGPT に歴史上の人物「織田信長」について聞いてみます。

自分 織田信長はどんな人ですか？

bot 織田信長は、日本の戦国時代に活躍した武将・大名であり、日本の歴史において非常に重要な存在です。信長は、16 世紀の中ごろから終わりごろにかけて活躍しました。
信長は、尾張国（現在の愛知県）の戦国大名・織田家の当主でした。彼は非常に野心的で優れた戦略家であり、他の戦国大名との戦いで領土を拡大し、勢力を伸ばしました。彼は、武力を背景に一向宗と連携して寺社領を制圧するなど、政治的手腕も持ち合わせていました。

信長はまた、独特な風貌と豪放磊落な性格で知られています。彼の髷を後ろで結ぶ特徴的な髪型や、眉目秀麗な顔立ちが特徴であり、彼の姿は多くの絵画や浮世絵で描かれています。また、信長は文化的な庇護者でもあり、茶道や能楽などの芸術文化を支援しました。
信長の最も有名な業績の一つは、「本能寺の変」と呼ばれる事件です。1582 年に信長の居城である本能寺が襲撃され、信長は自害に追い込まれました。この出来事は、信長の死後も戦国時代の流れを大きく変えることになります。
⋮

2. 文量が多すぎて読む気力がわかないので、「箇条書き」でまとめてもらいます。

自分 箇条書きの簡潔な文章でまとめてください。

bot ・織田信長は戦国時代に活躍した武将・大名。
・信長は尾張国の織田家当主であり、野心的で優れた戦略家であった。
・彼は他の戦国大名との戦いで領土を拡大し、勢力を伸ばした。
・信長は特徴的な風貌と豪放磊落な性格で知られ、文化的な庇護者でもあった。
・彼の最も有名な業績は「本能寺の変」であり、その後の日本の歴史に大きな影響を与えた。
・信長の死後、豊臣秀吉が彼の遺志を継いで日本を統一する基盤を築いた。

スッキリと短い文章にまとまり理解しやすくなりました。

どれくらいの長さの回答を希望しているかを伝える

ChatGPT は、人間がどれくらいの長さの回答を希望しているかを知りません。回答が長すぎる、もしくは短すぎる場合は、**どのくらいの長さで回答してほしいかを ChatGPT に伝えましょう。**単語数、文章数、段落数、箇条書きの数などで指定できます。ただし、100 文字以下と指示しても 110 文字で返したりします。

5.7 文章から用語表を作成してもらう

概要

歴史の教科書を読む時、わからない用語が出るたびに、調べるのは面倒です。ChatGPT に頼めば、説明付きの用語表を作成してもらうことができます。

使い方

1. ChatGPT に用語表を作成してもらいましょう。

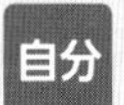

次の中学校の歴史で習う重要な用語を抜き出し、表形式で説明をつけてください。

鎌倉幕府は、源頼朝が創設した日本の武家政権。この時代を鎌倉時代という。
頼朝の死後、幕府に仕えた坂東武士の権力闘争によって頼朝の嫡流は断絶し、その後は北条氏による執権、やがて北条義時の嫡流である得宗が鎌倉幕府の実質的な支配者となった。
武家政権は室町幕府・江戸幕府へと継承された。

bot

用語	説明
鎌倉幕府	源頼朝によって創設された日本の武家政権。鎌倉時代と呼ばれる時代に存在した。
鎌倉時代	鎌倉幕府が成立した時代。1185年から1333年まで続いた。
坂東武士	鎌倉幕府に仕えた武士の一派。頼朝の死後、権力闘争を繰り広げ、頼朝の嫡流を断絶させた。
北条氏	鎌倉幕府において権力を握った武士団。得宗家を輩出し、鎌倉幕府の実質的な支配者となった。
執権	鎌倉幕府において最高の権力を持つ地位。北条氏が執権を務め、鎌倉幕府の政治を担当した。
室町幕府	鎌倉幕府の後継として成立した日本の武家政権。室町時代と呼ばれる時代に存在した。
江戸幕府	室町幕府の崩壊後に成立した日本の武家政権。江戸時代と呼ばれる時代に存在した。

2. Excel などで使いたい場合は、CSV 形式のコードに変換してもらうと良いでしょう。

自分 **CSV のコードに変換してください。**

bot 以下は、与えられた表形式のデータをCSV形式に変換したものです。

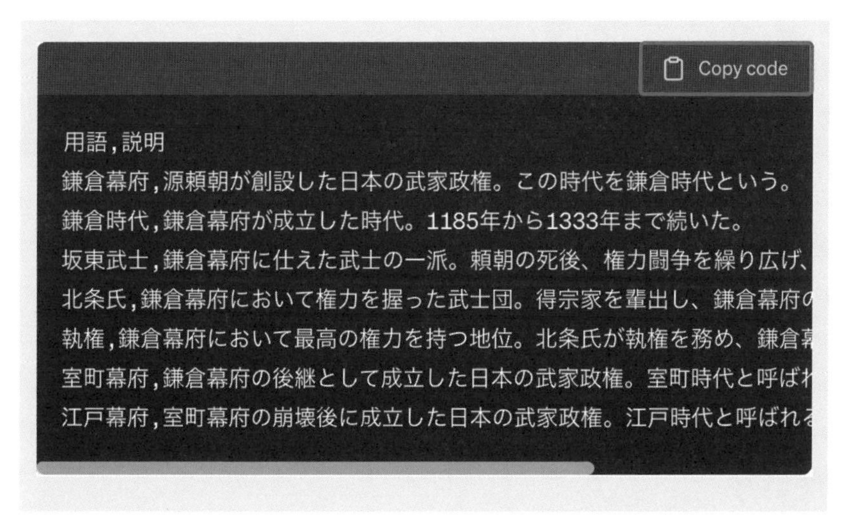
Copy code
用語,説明
鎌倉幕府,源頼朝が創設した日本の武家政権。この時代を鎌倉時代という。
鎌倉時代,鎌倉幕府が成立した時代。1185年から1333年まで続いた。
坂東武士,鎌倉幕府に仕えた武士の一派。頼朝の死後、権力闘争を繰り広げ、
北条氏,鎌倉幕府において権力を握った武士団。得宗家を輩出し、鎌倉幕府の
執権,鎌倉幕府において最高の権力を持つ地位。北条氏が執権を務め、鎌倉幕
室町幕府,鎌倉幕府の後継として成立した日本の武家政権。室町時代と呼ばれ
江戸幕府,室町幕府の崩壊後に成立した日本の武家政権。江戸時代と呼ばれる

生成されたコードの右上の [Copy Code] をクリックし、テキストエディタ上でペーストした後「単語 .csv」などのファイル名で保存すれば Excel などで開くことができます。

人工知能とロボット

ChatGPT は体を持たない人工知能ですが、将来的には体を持つ人工知能は登場するのでしょうか？ OpenAI とパートナーシップを結んでいる Microsoft からは、ChatGPT を使ってドローンやロボットを操作できたという研究発表もされています。人工知能が搭載されたロボットが働く社会、はやくきてほしいですね。

5.8 作文の作成を手伝ってもらう

概要

「作文」は、いざ書こうと思うと何から書いてよいかわからないものです。そんな時は、ChatGPT にお願いして、作文の作成をサポートしてもらいましょう。ChatGPT からの質問に答えているうちに、「作文」ができ上がります。

使い方

1. ChatGPT に、家庭教師として作文の作成を手伝ってくれるよう頼みます。

自分 あなたは家庭教師です。
私が作文を書くサポートしてください。
追加で必要な情報があれば質問してください。

bot もちろんです、作文のサポートをさせていただきます。どのようなトピックで作文を書きたいですか？

2. ChatGPT に作文のトピックを伝えます。

自分 将来の夢について

bot 素晴らしいトピックですね将来の夢についての作文をサポートいたします。
まず最初に、いくつかの質問をしてみて、アイディアをまとめていきましょう。
1. 具体的な夢は？
2. 夢を実現するためにどんなことに取り組んでいる？

3. 夢を追いかけるモチベーションは何？
これらの質問にお答えいただけると、作文をより具体的で魅力的なものにするためのヒントが得られます。どうぞお答えください。

3. ChatGPT からの質問に答えていきます。

自分
1. プロ野球選手になりたいです
2. 野球部に入って甲子園を目指して練習しています
3. 子供の頃から大谷翔平選手にあこがれてました

bot
素晴らしい夢ですね！以下は、提供された情報に基づいた具体的な作文の例です。

作文のテーマ：将来の夢 - プロ野球選手になること
将来の夢は人生において重要な要素であり、個人の情熱と努力が実現につながることを私は信じています。私の夢はプロ野球選手になることです。この夢は私の中で長い間育まれてきました。
私は幼少期から野球が大好きで、特に大谷翔平選手に憧れていました。彼の驚異的なパフォーマンスと多才さに感銘を受け、彼のようになりたいという思いが日々強くなっていきました。プロ野球選手になることで、私は多くの人々に感動と喜びを与えることができると信じています。
現在、私は学校の野球部に所属しており、日々の練習や試合に取り組んでいます。私たちのチームは甲子園を目指しています。私は個々のスキルを向上させるために、練習や指導を真剣に受け止め、努力しています。また、体力づくりのためにトレーニングやフィジカルコンディショニングにも取り組んでいます。
夢を追いかけるモチベーションは私にとって非常に重要です。困難や挫折に直面したときでも、大谷翔平選手のような成功ストーリーや、野球がもたらす喜びや充実感を思い出すことで、前進し続けることができます。また、仲間との絆やチームの目標に向かって努力することも私のモチベーションです。
私の将来の夢はプロ野球選手になることです。この夢を実現するた

めに、私は野球部での取り組みを続け、甲子園を目指して努力します。私の夢は、人々に喜びや感動を与えること、そして自分自身の成長と充実感を得ることに繋がると信じています。

ChatGPT からの質問に答えているうちに、「作文」ができ上がりました。

ChatGPTを学校の宿題に使ってよい？

学校や家庭の AI の活用方針に従いましょう。
2023 年 7 月、文部科学省は、文章などを自動で作る ChatGPT などの生成 AI を、教育現場で活用する際の暫定的なガイドラインを公表しています。
AI の良い活用方法の例としては、アイディアを出す途中段階で足りない視点を見つける目的での活用、英会話の相手として活用すること、生成 AI を用いたプログラミングを行うことなどが記載されています。
不適切な例としては、レポートなどについて生成 AI が作成したものを提出すること、詩や美術の授業など感性や独創性を発揮させたい場面で最初から使わせること、テストなどで使わせることなどをあげています。また、ChatGPT の利用規約では、サービスを使用するには 13 歳以上である必要があり、18 歳未満の場合は親権者の許可が必要とあります。
AI は使い方によって、学習効率を上げることもできますが、学習の妨げになることもあります。教育現場での AI の活用方針は、今後もしばらくは議論が続くと思われます。

5.9 問題を作成してもらう

概要

ChatGPT に勉強の問題を作成してもらうこともできます。回答を解説してもらうこともできます。

ただし、ChatGPT は間違うこともあるため、作ってもらった問題が正しいかどうかを確認する必要があります。そのため、先生がテストのアイディア出しとして問題を作成してもらい、正しいことを確認してから利用するという活用法が良いでしょう。

使い方

1. ChatGPT に中学 3 年生の数学の問題を出してもらいます。「1 問」と数を指定しています。

自分 **中学 3 年生の数学の問題を 1 問出してください。**

bot **問題 :**
底辺が 6cm で高さが 8cm の三角形の面積を求めよ。

2. 回答します。

自分 **24**

bot **正解です！底辺が 6cm で高さが 8cm の三角形の面積は、底辺と高さを使って以下のように計算できます。**
面積 = (底辺 × 高さ) ÷ 2
= (6cm × 8cm) ÷ 2
= 48cm² ÷ 2

Part 5 勉強

$=24cm^2$

よって、三角形の面積は 24 平方センチメートルです。

ChatGPTは実は数学が苦手

ChatGPT は実は数学が苦手です。中学生の問題くらいまでならなんとかなりますが、高校生の問題はけっこう間違えます。そんな時は、「途中経過も書いて」とお願いしましょう。ChatGPT は人間と同じように、答えを一発で出すよりも、途中経過を書きながら計算する方が、はるかに正解率が高くなります。

5.10 学習カリキュラムを作ってもらう

概要

ChatGPT に**カリキュラム**を作成してもらうことができます。カリキュラムとは、学習内容や進行計画のことです。

いつまでに何を学習したいかを伝えることで、ChatGPT が自分だけのカリキュラムを作成してくれます

使い方

1. ChatGPT に「カリキュラム」の作成をお願いします。

自分

あなたはプロの家庭教師です。
私はプログラミングの初心者です。
1ヶ月で Python で簡単なゲームを作れるようになりたいです。
カリキュラムを作成してください。

bot

もちろんです。プログラミングの初心者の方にとって Python は素晴らしい選択です。Python はシンプルで読みやすい言語であり、初心者にも理解しやすいです。1ヶ月で簡単なゲームを作成するために、以下のようなカリキュラムを提案します。

第1週：Python の基礎
・Python のインストールとセットアップ
・変数とデータ型
・条件文と制御フロー（if 文、for ループ、while ループ）
・関数の定義と呼び出し
・モジュールとライブラリの使用

第 2 週：プログラムの構造とデータ処理
・リスト、タプル、辞書の使用
・ファイル入出力
・エラーハンドリング
・関数の応用（再帰、引数の種類など）
・オブジェクト指向プログラミングの基礎

第 3 週：ゲーム開発の基本
・ゲーム開発の基本概念の紹介（ループ、イベント、画面描画など）
・Pygame のインストールとセットアップ
・ゲームウィンドウの作成と描画
・キーボードやマウスの入力の処理
・ゲームオブジェクトの作成と移動

第 4 週：簡単なゲームの作成
・ゲーム内のオブジェクトの衝突判定
・スコアの追跡と表示
・ゲームのルールとロジックの実装
・ゲームのデバッグとテスト
・ゲームの最適化と改善

2. グラフィカルなゲームは難しそうなので、テキストベースのゲーム作成に目標を変更してもらいます。

自分 もっと簡単に、テキストベースのゲームの作成を目標としてください。

bot 了解です。以下は、4週間でテキストベースの簡単なゲームを作成するための簡略化されたカリキュラムです。

第1週：Pythonの基礎
- Pythonのインストールとセットアップ
- 変数とデータ型（数値、文字列、リスト）
- 条件分岐（if文）
- 繰り返しとループ（forループ、whileループ）

第2週：ユーザー入力と条件判定
- ユーザーからの入力の受け取り（input関数）
- 入力のバリデーションとエラーハンドリング
- 条件分岐の応用（複数の選択肢、繰り返し）

第3週：テキストベースのゲームの作成
- ゲームの概要とルールの設計
- プレイヤーの位置や状態を追跡する変数の作成
- ゲームのメインループの実装
- プレイヤーの入力に応じたゲームの進行と結果の表示

第4週：ゲームの拡張と改善
- ゲームの要素の追加（アイテム、敵、ミッションなど）
- スコアの追跡と表示
- ゲームのルールの調整とバランスの調整
- コードの最適化と改善

GPT-4はマインクラフトも得意

ChatGPT は **GPT-4** と **GPT-3.5** を使って作成されたチャットアプリですが、GPT-4、GPT-3.5 はチャットアプリ以外の仕事もできます。2023 年 5 月、NVIDIA、カリフォルニア工科大学、スタンフォード大学などの共同研究チームは、自律型の AI エージェント「Voyager」を公開しました。これは GPT-4 を使用して、オープンエンドワールド型ゲーム「マインクラフト」のワールドを人の手を介さずに自分で探検し、スキルを習得し、新しい発見を行います。今後は、ChatGPT の頭脳である GPT-4 のチャットアプリ以外での活躍にも期待ですね。

5.11 勉強が何の役に立つのかを質問する

概要

勉強している時、将来それが何に立つのかわからなければ、まったくやる気が起きません。

そんな時は、ChatGPT に将来それが何に立つのか聞いてみましょう。

さらに、自分が目指している職業があるのであれば、その勉強がどのように何の役に立つのか聞くのもおすすめです。

使い方

1. ChatGPT に実は数学が役立つ、数学が必要なさそうな職業を聞いてみます。

自分 **実は数学が役立つ、数学が必要なさそうな職業は？**

bot **数学が必要なさそうに見える職業の中でも、実際に数学が役立つ職業のいくつかを以下に挙げます。**

1. 料理人：料理のレシピや調理時間の計算、材料の比率の調整などに数学的なスキルが必要です。
2. 芸術家：絵画や彫刻の創作において、寸法や比率、透視図法などの数学的な概念が活用されます。
3. 音楽家：音楽理論やリズムの計算、音階や和音の関係性など、数学的なパターンや構造が音楽に関与します。
4. スポーツコーチ：スポーツの戦術や戦略の計画、選手の成績分析などに統計学や確率論が活用されます。
5. ファッションデザイナー：衣料品のパターン設計やサイズ調整において、数学的な計算や幾何学的な概念が関わります。

6. ランドスケープデザイナー：公園や庭園のデザインにおいて、面積計算や比率の調整などの数学的な知識が活用されます。
7. インテリアデザイナー：空間のレイアウトや家具の配置、壁面の比率などにおいて、数学的な原理が関与します。
8. ジャーナリスト：データの収集や分析、統計情報の解釈において、数学的なスキルが求められます。
9. イベントプランナー：イベントの予算管理やスケジュール調整、参加者の数の見積もりなどに数学的な計算が必要です。
10. 旅行コンサルタント：旅行パッケージの料金計算や航空券の予約、交通手段の最適化などに数学的なスキルが活用されます。

これらの職業では、数学的なスキルや概念が実際に役立ちます。
数学は日常生活やさまざまな職業において、問題解決や論理的思考をサポートするための重要なツールです。

意外にも数学はどんな職業でも必要になることがわかりました。

2. ChatGPTに「YouTuber」になるのに数学の勉強は必要か聞いてみます。

自分 YouTuberになりたいのですけど、数学の勉強はどのように役立ちますか？

bot YouTuberになるためには、数学の具体的な知識が直接必要とされることは少ないですが、いくつかの方法で数学の学習が役立つことがあります。

1. 統計と分析：YouTuberとしてチャンネルの成長や視聴者の反応を分析する際に、数学的な統計やデータ分析の知識が役立ちます。視聴回数や視聴時間のトレンド分析、視聴者の行動パターンの把握などに数学的な手法を適用することで、チャンネルの改善や戦略立案に役立ちます。
2. メディア編集：YouTuberは編集ソフトウェアを使用して映像や

音声の編集を行います。この際にタイミングやリズムの調整が必要となり、数学的な感覚が役立ちます。例えば、BGMのテンポやクリップのカットタイミングなどを数学的なリズム感覚で調整することができます。
3. デザインとレイアウト：YouTuberはサムネイルやチャンネルアート、エンドカードなどのデザインを作成することがあります。数学的なバランスやプロポーションの理解は、デザインの美しさや視覚的な魅力に影響を与えるかもしれません。
4. ファイナンスと広告収益：
⋮
これらは数学の知識が直接必要な場面ではないかもしれませんが、数学的思考や論理的思考は問題解決能力や分析力を高める上で役立ちます。また、数学の学習は脳のトレーニングにもなり、総合的な学習能力や創造性の向上に寄与することができます。

最低限、統計と分析はできるようになっておく必要がありそうなことがわかりました。

プログラミングを学ぶ必要ある？

ChatGPTはプログラミングが得意です。将来的にはプログラムのコードの多くは人工知能が書くのでしょう。そんな中、プログラミングを学ぶ必要はあるのでしょうか？
答えは「ある」です。人工知能にコードを書くのを頼むとしても、それが正しいコードかどうか責任を持って判断するのは人間です。プログラミングを学んでおかなければ正しいかどうか判断できません。正しいかどうか判断できない人が、他の人に責任を持って仕事をふれないように、AIに仕事をふることもできません。

5.12 希望の職業につくために必要な勉強を質問する

概要

前回の続きですが、将来なりたい職業があるのであれば、ChatGPT に希望の職業につくために必要な勉強を聞くのはとても有効です。

多くの人は、将来なりたいものが決まってないので、何にでもなれる可能性があるよう、広く浅く勉強することが求められます。

しかし、将来なりたい職業が決まってるのであれば、必要な勉強を重点的にやった方が夢に近づきます。

使い方

1. 将来なりたい職業になるためにどんな勉強をすればよいか聞いてみます。

自分 宇宙飛行士になるにはどんな勉強するとよいですか？

bot 宇宙飛行士になるためには、幅広い知識と特定の技能を身につける必要があります。
以下に、宇宙飛行士になるための勉強や準備に役立ついくつかの領域を示します。

1. STEM 科目（科学、技術、工学、数学）の学習：宇宙探査には科学的な理解と技術的な知識が必要です。物理学、数学、化学、工学などの科目を学ぶことで、基本的な原理や計算方法を習得できます。
2. 工学や航空宇宙工学の学習：宇宙飛行士になるためには、航空宇宙工学に関する知識が重要です。航空宇宙工学の基礎を学び、宇宙船やロケットの設計、システムの動作原理、制御システムなどについて理解を深めることが重要です。

3. コンピュータ科学とプログラミングの学習：宇宙ミッションでは、コンピュータとソフトウェアが重要な役割を果たします。プログラミングの基礎を学び、データ解析やシミュレーション、制御システムのプログラム作成など、宇宙関連のソフトウェア開発に関するスキルを磨くことが重要です。
4. 身体的な準備：宇宙飛行士になるためには、優れた身体的なコンディションが求められます。適度な運動や筋力トレーニング、持久力の向上など、健康な体を維持するための努力が必要です。
5. 語学の学習：宇宙飛行士は国際的なチームで働くことが多いため、異なる言語でのコミュニケーション能力が重要です。英語は特に重要であり、流暢な英語の読み書きと会話が求められます。
6. 経験や教育の取得：宇宙機関や航空宇宙企業での経験や教育は、宇宙飛行士の選考プロセスで重要な要素となります。航空宇宙関連の研究機関や大学で学ぶこと、宇宙ミッションに関わるインターンシップやボランティア活動に参加することなど、関連する経験を積むことが役立ちます。

2. 少し難しすぎたので、今からすぐできることはないか聞いてみます。

自分 私は中学生ですが、今すぐできることはありますか？

bot もちろん！中学生のうちから宇宙飛行士になる夢に向かって準備を始めることは素晴らしいです。以下に、今すぐ取り組めるいくつかのアクションをいくつか紹介します。

1. 宇宙に関する本や記事を読む：宇宙探査や宇宙飛行士に関する本や記事を読むことで、宇宙の基礎知識を身につけることができます。図書館やインターネット上で、自分のレベルに合った興味深い情報を見つけて読んでみましょう。
2. STEM クラブや科学教室に参加する：学校や地域の STEM クラブや科学教室に参加することで、実験やプロジェクトを通じて科学や技術の面白さを体験することができます。宇宙に関連するテーマの活動やプロジェクトがある場合は、積極的に参加してみてください。

3. モデルロケットを作る：モデルロケットキットを手に入れて、指示に従って一緒にロケットを組み立ててみましょう。これは宇宙飛行士にとって重要な要素であり、基本的なロケットの構造や原理を学ぶ良い方法です。
4. 星空を観察する：夜空を見上げて星座や惑星を観察することは、宇宙への関心を深める素晴らしい方法です。星の位置や明るさ、季節の変化などを観察し、自分なりに記録してみましょう。
5. 宇宙に関する映画やドキュメンタリーを見る：宇宙探査や宇宙飛行士に関連する映画やドキュメンタリーを視聴することで、宇宙の魅力や宇宙飛行士の日常に触れることができます。興味を持った作品を見つけて、楽しみながら学んでみましょう。

これらのアクションを通じて、宇宙への関心を高め、自身の好奇心と学習意欲を養うことが重要です。そして、将来の可能性を広げるために、学校での勉強にも取り組んでください。

これなら、すぐできそうですね。今日からでもはじめてみましょう。

シンギュラリティって何？

シンギュラリティ（Singularity）は直訳すると「特異点」という意味で、人工知能の進化が急速に進み、人間の知能を超える状態を指す概念です。シンギュラリティに到来すると、人間社会や文明に革命的な変化をもたらすと言われています。これからの未来は予測が難しいですが、夢のある世界になることを期待したいですね。

Part 6

仕事

6.1 ビジネスメールの作成を依頼する

概要

ビジネスメールは、仕事相手とのコミュニケーションを円滑に進める上で重要な要素です。しかし、ビジネスメールの文面の書き方に悩んでしまうことも少なくありません。そんな時は ChatGPT に相談してみましょう。正確かつ効果的なビジネスメールをいっしょに考えてくれます。

使い方

1. ChatGPT にビジネスメールの文面を考えてもらいましょう。はじめに、「あなたは何者なのか？」「相手との関係は？」「どんなことを伝えたいのか？」を ChatGPT に伝えましょう。

自分

私は新入社員の田中一郎です。
送信先は直属の上司の鳥坂です。
今日だるくて会社を休みたいことを伝える、メールを書いてください。
200 文字以内でお願いします。

bot

件名：本日の休暇希望
鳥坂さん
お世話になっております。田中一郎です。本日は体調不良のため、会社を休みたいと思います。申し訳ありませんが、ご了承いただけますか？
よろしくお願いいたします。

田中一郎

2. ChatGPT に受信メールの文面を見せて、返信の文面を考えてもらうこともできます。受信メールは長文のため、どこまでが指示で、どこまでが文章かわかりやすいように、「----」で区切りました。

自分

以下のビジネスメールの返信を考えてください。
依頼を断るようにしてください。

○○会社 山田様

お世話になっております。
○○協会の田中です。

本日は、山田様にセミナー講師のお願いをしたく、ご連絡いたしました。
このたび、新入社員研修の一環として、ChatGPT をテーマにした講習を検討しております。
ご興味を持っていただけましたら、一度お会いして、詳細を説明させていただく機会を頂戴できればと思っております。

よろしくお願いいたします。

bot

○○協会 堀川様

ご連絡いただき、ありがとうございます。田中です。

お世話になっておりますが、誠に申し訳ありませんが、今回のセミナー講師のお願いについて、断らせていただきたく存じます。
私のスケジュールや業務の関係上、そのようなお話に応じることができません。大変申し訳ございませんが、他の方にご依頼いただけると幸いです。
なお、今後においても何かお手伝いできることがございましたら、お気軽にご相談ください。

お忙しい中、ご連絡いただきありがとうございました。
何卒よろしくお願いいたします。

田中

見出し指定でChatGPTへの指示をより明確にしよう

161ページでは、「----」で指示と文章を分けてますが、さらに「# 命令書 :」「# 入力文」などのように見出しを指定することで、ChatGPTへの指示をより明確にすることができます。

命令書 :
あなたは { プロの編集者 } です。
以下の制約条件と入力文をもとに { 最高の要約 } を出力してください。

制約条件 :
・文字数は300文字程度。
・小学生にもわかりやすく。
・重要なキーワードを取り残さない。
・文章を簡潔に。

入力文 :
{ ここに入力文章 }

出力文 :

これは、noteのCXOである深津貴之さんによって考案されたフレームワークで、「深津式プロンプト・システム」と呼ばれています。

6.2 商品のキャッチコピーを作ってもらう

概要

ChatGPT は、広告のキャッチコピーを作るのも得意です。商品説明からのキャッチコピーを作成することができます。ただし、素直に作らせると、ありきたりで面白みが少ないキャッチコピーになるため、その商品にこめたい思いやイメージも ChatGPT に提供しましょう。

ChatGPT と相談しているうちに、思いもつかないような素敵なワードと巡り会うことができます。

使い方

1. ChatGPT に商品説明からの広告コピーの作成をお願いします。「アイディア出し」の時は**「いくつ」の指示**を付けましょう。

次の商品説明から、広告のキャッチコピーを 3 つ考えてください。

ミニワンダーフォンは、小さなサイズながらパワフルな携帯電話です。
コンパクトなデザインで持ち運びに便利でありながら、あらゆる通信機能を備えています。
いつでもどこでも簡単に連絡を取りたい方に最適な製品です。

1.「小ささとパワーが融合した、あなたの手の中の通信ワンダーランド」
2.「コンパクトながら通信の可能性を広げる、ミニワンダーフォン」
3.「自由自在なコミュニケーションを手に入れよう、ミニワンダーフォンで」

2. かわいさが足りないと感じたので、「キュートな魔法」のイメージを含めてもらいます。◯◯をイメージしたキャッチコピーをお願いすると、そのワードをそのまま使ってしまうので、ワードを使わないようにお願いしています。

自分

「キュートな魔法」のイメージを「キュートな魔法」の用語を使わないで、キャッチコピーを3つ考えてください。

bot

1.「魅惑の微笑み、心を奪う魔法のような存在」
2.「愛らしさが煌めく、不思議な魅力の秘密」
3.「夢見る心を満たす、魔法の世界へようこそ」

3. これを繰り返して、アイディアを詰めていきましょう。こうした方が良いと思う部分を修正し続けることで、完成品に近づけていきます。

ChatGPTは文句を言ってこないの？

ChatGPTは人間と違って、考え出してきたアイディアに何回NG出しても文句をいいません。指示する人間が満足するアイディアが得られるまで、永遠にアイディア出しを続けさせることができます。

6.3 プレスリリースの作成を頼む

概要

ChatGPTは、文章作成が得意なので、**プレスリリース**の文章の作成も得意です。プレスリリースは、企業や組織がメディアや一般の人々に向けて重要な情報を発信するために使用される公式な文書です。新製品やサービスの発表、業績の報告、イベントの告知など、さまざまな目的で使用されます。

使い方

1. ChatGPTに「プレスリリース」の作成を頼みます。自社がどんな会社なのか、どんな内容のプレスリリースを行いたいのかを伝えましょう。

自分

モバイルゲームを運営している会社です。
「シンギュラリティ連続殺人事件」の事前受付開始
チャットAIによってリアルタイムに会話とシナリオを自動生成するアドベンチャーゲームです。
プレスリリースの文章を書いてください。

bot

【プレスリリース】

モバイルゲーム開発会社、株式会社○○（仮名）は、新たな革新的なアドベンチャーゲーム「シンギュラリティ連続殺人事件」の事前受付を開始しましたことをお知らせいたします。
「シンギュラリティ連続殺人事件」は、チャットAIによってリアルタイムに会話とシナリオが自動生成される、独創的なゲームです。プレイヤーは探偵として事件の謎を解き明かし、犯人を追い詰める役割を担います。豊富な選択肢と予測不能な展開が、プレイヤーを没入させること間違いありません。

本作は、モバイルゲーム市場において、AI技術を駆使した新たなジャンルのゲームとして注目されるものです。従来のアドベンチャーゲームとは一線を画し、プレイヤーが自らの判断力と推理力を駆使して事件を解決していくことが求められます。

「シンギュラリティ連続殺人事件」は、圧倒的なグラフィックと臨場感溢れる音楽、そしてユーザーインターフェースの使いやすさにもこだわって制作されております。さらに、定期的なアップデートや新しいシナリオの追加など、プレイヤーに長く楽しんでいただける内容を提供してまいります。

事前受付開始に伴い、特別なボーナスや限定アイテムのプレゼントなど、魅力的なキャンペーンも展開予定です。プレイヤーの皆様に、本作の世界に早く入り込んでいただけるよう、心を込めたサービスを提供いたします。

「シンギュラリティ連続殺人事件」の事前受付は、弊社公式ウェブサイトおよび公式アプリにて開始しております。ぜひ、多くの方々にご参加いただき、この新たなゲーム体験をお楽しみいただければ幸いです。

本リリースに関する詳細やお問い合わせ先につきましては、弊社ウェブサイトをご覧ください。

【会社概要】
株式会社○○

より明確な指示を書く

ChatGPTは、人間の心を読むことができないため、希望の出力を得るには、より明確な指示を書く必要があります。出力が長すぎる場合は、より短くするよう指示してください。出力が単純すぎる場合は、専門家レベルの書き込みを指示してください。書式が気に入らない場合は、希望の書式を指示してください。指示がないものは、ChatGPTにおまかせにすることなります。

6.4 謝罪文を書いてもらう

概要

不祥事に対する「謝罪文」を作成するのは、心をすり減らす作業です。相手に不快な思いをさせないようにするには、どのような文章を書けばよいか、本当に頭を悩ませます。そんな時、ChatGPT を使えば、的確な謝罪文を書いてくれます。

使い方

1. ChatGPT に謝罪文の作成を頼みます。自社がどんな会社なのか、どんな不祥事を起こしたのか、どんな対応を行うのかを伝えましょう。

自分

モバイルゲームを運営している会社です。
昨晩 1 時 5 分から 3 時 20 分まで、サーバーダウンしてました。
お詫びとしてゲーム内アイテムのダイヤを 600 個配布します。
メディア用の謝罪文を書いてください。

bot

【会社名】より大切なお知らせ

いつも【会社名】のゲームをご利用いただき、誠にありがとうございます。この度、昨晩 1 時 5 分から 3 時 20 分までの間、弊社のサーバーに障害が発生し、ゲームがプレイできない状況が続きましたことを深くお詫び申し上げます。
このサーバーダウンにより、多くのプレイヤーの皆様にご迷惑とご不便をお掛けしましたことを心よりお詫び申し上げます。弊社では、このような事態が再び発生しないよう、継続的な改善とサーバーの安定性向上に努めてまいります。

また、お詫びの気持ちを込めて、ゲーム内アイテムのダイヤを 600

個全プレイヤーの皆様に配布させていただきます。これは、皆様が快適にゲームをお楽しみいただけるよう、我々の心からの感謝の気持ちを示すものです。
このダイヤは、ゲーム内で様々なアイテムや特典を手に入れるためにご利用いただけます。詳細につきましては、ゲーム内のお知らせをご確認ください。

再度、皆様にはご迷惑とご不便をお掛けしましたことをお詫び申し上げます。今後も皆様にとってより一層楽しいゲーム体験を提供できるよう、全力を尽くしてまいります。
引き続き、【会社名】のゲームをご愛顧いただきますよう、心よりお願い申し上げます。

【会社名】チーム一同

AIが生成した文章を見分けられる？

AI が生成した文章を 100% 見分けることは将来的にも難しいでしょう。AI が生成した文章を見分けるツールなどもでてきてますが、AI が人間らしい文章を書く能力も日々上がってるので、いたちごっこになると思われます。

6.5 プレゼンの下書きを相談する

概要

ChatGPTは、**プレゼン**（プレゼンテーション：presentation）の下書きにも役立ちます。

プレゼンは特定のテーマや内容について、社内および社会の人に向けて情報やアイディアを伝えることです。今回はChatGPTに相談して、プレゼンの発表をどのような流れで行うかを決めます。

使い方

1. ChatGPTにプレゼンの下書きを書いてもらいます。

自分

あなたはプロのエンジニアです。
次の条件で、社内向けのプレゼンの下書きを書いてください。
・発表時間は10分程度の文量でお願いします。
・聞く人は社内の技術者がメインです。
・発表内容は、「人工知能の最新技術」になります。

bot

プレゼンの下書き：
タイトル：人工知能の最新技術

[イントロダクション]
皆さん、こんにちは。私は〇〇社のエンジニアです。本日は人工知能の最新技術についてお話しします。AIは急速に進化しており、我々技術者にとっても重要なテーマです。このプレゼンでは、最新のトピックとその可能性について詳しく説明します。

[セクション1: 機械学習の進展]
まずは、機械学習の進展についてご紹介します。最近のディープラー

ニングアルゴリズムの発展により、より高度なタスクにおいても驚異的な成果が得られるようになりました。例えば、画像認識、音声処理、自然言語処理などの領域での応用が増えています。さらに、転移学習や強化学習などの技術も注目されています。

[セクション 2: 自然言語処理の進化]
次に、自然言語処理の進化についてお話しします。近年、BERT や GPT などの大規模な言語モデルが登場し、自然言語の理解や生成の質が大幅に向上しました。これにより、機械翻訳、質問応答システム、文章要約など、さまざまなアプリケーションが開発されています。また、情報抽出や感情分析など、より高度なタスクにも取り組まれています。

[セクション 3: コンピュータビジョンの最新動向]
次に、コンピュータビジョンの最新動向についてご紹介します。深層学習モデルの発展により、画像や動画の解析においても驚くべき進歩がありました。例えば、物体検出、セマンティックセグメンテーション、顔認識などのタスクにおいて、従来の手法よりも高い精度が実現されています。さらに、Generative Adversarial Networks（GAN）を用いた画像生成やスタイル変換も注目を集めています。

[セクション 4: ロボット工学と AI の融合]
最後に、ロボット工学と AI の融合について触れます。AI の進化により、自律型ロボットや産業用ロボットの性能が向上し、効率化や生産性の向上が期待されています。また、AI とセンサ技術、制御技術を組み合わせた新たなロボットシステムも開発されています。これにより、自動車産業、物流業界、医療分野などでの活用が進んでいます。

[結論]
本日は、人工知能の最新技術について概要をお伝えしました。機械学習や自然言語処理、コンピュータビジョンなどの分野での進歩は

目覚ましいものがあります。AI の技術は我々の業界においても大いに活用され、新たな可能性を切り拓くでしょう。今後も最新の動向に注目し、積極的に取り組んでいきましょう。
以上でプレゼンの下書きは終わりです。ご確認いただき、修正や追加があればお伝えください。

2. 作成してもらったプレゼンの下書きを見て、直してもらいたいところを指摘します。

自分

[セクション 3: コンピュータビジョンの最新動向] は [セクション 3: 大規模言語モデルの最新動向] にしてください。
[セクション 4: 機械学習エンジニアリングの進化] は削除しましょう。

bot

プレゼンの下書き :
タイトル : 人工知能の最新技術

[イントロダクション]
皆さん、こんにちは。私は〇〇社のエンジニアです。本日は人工知能の最新技術についてお話しします。AI は急速に進化しており、我々技術者にとっても重要なテーマです。このプレゼンでは、最新のトピックとその可能性について詳しく説明します。

[セクション 1: 機械学習の進展]
まずは、機械学習の進展についてご紹介します。最近のディープラーニングアルゴリズムの発展により、より高度なタスクにおいても驚異的な成果が得られるようになりました。例えば、画像認識、音声処理、自然言語処理などの領域での応用が増えています。さらに、転移学習や強化学習などの技術も注目されています。
[セクション 2: 自然言語処理の進化]
次に、自然言語処理の進化についてお話しします。近年、BERT や GPT などの大規模な言語モデルが登場し、自然言語の理解や生成の質が大幅に向上しました。これにより、機械翻訳、質問応答シス

テム、文章要約など、さまざまなアプリケーションが開発されています。また、情報抽出や感情分析など、より高度なタスクにも取り組まれています。

[セクション3: 大規模言語モデルの最新動向]
次に、大規模言語モデルの最新動向についてご紹介します。最近の研究では、より大きなモデルやトランスフォーマーアーキテクチャを使用した言語モデルが開発されています。これにより、より豊かな文脈理解や応答生成が可能となりました。さらに、マルチモーダルな言語モデルも登場し、画像とテキストの組み合わせにおいても高度な処理が行えるようになってきました。

[結論]
本日は、人工知能の最新技術について概要をお伝えしました。機械学習や自然言語処理、大規模言語モデルなどの分野での進歩は目覚ましいものがあります。AIの技術は我々の業界においても大いに活用され、新たな可能性を切り拓くでしょう。今後も最新の動向に注目し、積極的に取り組んでいきましょう。
以上でプレゼンの下書きは終わりです。ご確認いただき、修正や追加があればお伝えください。

3. これを繰り返して、こうした方が良いと思う部分を修正し続けることで、最終的なプレゼンに近づけていきます。

ChatGPTに対して依頼上手になれば、人間に対しても依頼上手

ChatGPTから良い回答を引き出すには、自分がやってもらいたいことを明確に指示し、回答に必要な情報をすべて提示する必要があります。これは人間に対しても同じです。ChatGPTに対して依頼上手になれば、人間に対しても依頼上手になっているでしょう。

6.6 プレゼンの想定質問と回答例をあげてもらう

概要

「プレゼン」での発表の後は、質疑応答の時間があるのが定番です。

ChatGPT にプレゼン資料を読ませることで、その「想定質問」をリストアップしてもらうことができます。さらには、その質問の回答例を作成してもらうこともできます。

使い方

1. ChatGPT にプレゼン資料を読ませて、想定問答を考えてもらいます。今回は、回答例もいっしょに考えてもらいました。

次のプレゼンに対しての質問と回答例を 3 つあげてください。

タイトル : 人工知能の最新技術

[イントロダクション]

皆さん、こんにちは。私は〇〇社のエンジニアです。本日は人工知能の最新技術についてお話しします。AI は急速に進化しており、我々技術者にとっても重要なテーマです。このプレゼンでは、最新のトピックとその可能性について詳しく説明します。

[セクション 1: 機械学習の進展]

まずは、機械学習の進展についてご紹介します。最近のディープラーニングアルゴリズムの発展により、より高度なタスクにおいても驚異的な成果が得られるようになりました。例えば、画像認識、音声処理、自然言語処理などの領域での応用が増えています。さらに、転移学習や強化学習などの技術も注目されています。

[セクション 2: 自然言語処理の進化]
次に、自然言語処理の進化についてお話しします。近年、BERT や GPT などの大規模な言語モデルが登場し、自然言語の理解や生成の質が大幅に向上しました。これにより、機械翻訳、質問応答システム、文章要約など、さまざまなアプリケーションが開発されています。また、情報抽出や感情分析など、より高度なタスクにも取り組まれています。

[セクション 3: 大規模言語モデルの最新動向]
次に、大規模言語モデルの最新動向についてご紹介します。最近の研究では、より大きなモデルやトランスフォーマーアーキテクチャを使用した言語モデルが開発されています。これにより、より豊かな文脈理解や応答生成が可能となりました。さらに、マルチモーダルな言語モデルも登場し、画像とテキストの組み合わせにおいても高度な処理が行えるようになってきました。

[結論]
本日は、人工知能の最新技術について概要をお伝えしました。機械学習や自然言語処理、大規模言語モデルなどの分野での進歩は目覚ましいものがあります。AI の技術は我々の業界においても大いに活用され、新たな可能性を切り拓くでしょう。今後も最新の動向に注目し、積極的に取り組んでいきましょう。

bot 質問と回答例：

1. 最新のトピックとその可能性について、もう少し詳しく教えていただけますか？

・現在の人工知能の最新技術には、機械学習や自然言語処理、大規模言語モデルなどが含まれます。機械学習の進展により、ディープラーニングアルゴリズムを用いて画像認識や音声処理、自然言語処理などの高度なタスクが可能になりました。自然言語処理では、大規模な言語モデルの登場により、機械翻訳や質問応答システム、文章要約などの応用が進化しました。さらに、大規模言語モデルの最新動向では、より大きなモデルやマルチモーダルなモデルが開発され、より高度な文脈理解や応答生成が可能になりました。

2. 大規模言語モデルの開発において、具体的にどのような進歩があったのですか？
　・最近の研究では、大規模言語モデルの開発においていくつかの進歩があります。まず、モデルのサイズやアーキテクチャの拡張が挙げられます。より大きなモデルやトランスフォーマーアーキテクチャを使用することで、より豊かな文脈理解が可能になりました。また、マルチモーダルな言語モデルも登場し、画像とテキストの組み合わせにおいても高度な処理が行えるようになりました。これにより、例えば画像のキャプション生成や画像の内容理解など、より多様なタスクに応用が可能になりました。

3. 人工知能の最新技術が我々の業界にどのような影響を与えると考えられますか？
　・人工知能の最新技術は、我々の業界に大きな影響を与えると考えられます。例えば、機械学習を活用することで、データの分析や予測モデルの構築がより精度高く行えるようになります。自然言語処理の進化により、顧客とのコミュニケーションや自動化された応答システムの改善が可能になります。さらに、大規模言語モデルの発展により、新たなアプリケーションやサービスの開発が促進されます。これらの技術は、生産性の向上や効率化、新たなビジネスモデルの創出など、様々な面で業界に革新をもたらすでしょう。

日本語入力は人工知能の大先輩

パソコンやスマートフォンのキーボードで「きょう」と入力すると、「今日」「京」「キョウ」などの入力候補が出ます。この日本語入力は人工知能の大先輩です。その人が使いそうな入力候補を先回りして準備してくれます。
その入力候補が正解かどうかを人間が責任を持って決めるのも、ChatGPTと同じですね。

6.7 新規事業についていろんな視点から意見してもらう

概要

新規事業を立ち上げる時など、どのようなことに注意しなければならないのか、想像するのは難しいです。そんな時は、ChatGPT に聞いてみましょう。この時、ChatGPT に「誰」の視点からの意見がほしいかを明示することで、クロスレビューすることができます。クロスレビューは、異なるレビュアーが独自の視点や評価基準に基づいてレビューを行い、多角的な情報を収集することです。

自分にはない視点からの一般論を述べてもらうのに、ChatGPT は非常に役立ちます。

使い方

1. 「チャット AI」の新規事業を立ち上げるときの、「開発者」の視点から注意点を聞いてみます。

自分
私たちは、チャット AI の新規事業を立ち上げようとしています。
「開発者」の視点から箇条書きで注意点を 3 つ教えて下さい。
200 文字以内でお願いします。

bot
・ユーザーのプライバシーとセキュリティに配慮することが重要です。チャット AI が扱う情報は機密性の高いものも含まれる場合がありますので、適切なデータ保護策を講じる必要があります。
・より良いユーザーエクスペリエンスを提供するために、チャット AI の自然言語処理の精度と応答速度に注力する必要があります。ユーザーがスムーズかつ効果的に対話できるよう、高品質な会話を実現することが重要です。
・柔軟性と拡張性を考慮し、モジュール化されたアーキテクチャを採用することが重要です。将来的な機能追加やシステムの拡張に対応するために、モジュールやAPIの設計に注意を払う必要があります。

2. 続けて「法務」の視点から注意点を聞いてみます。

自分 「法務」の視点から箇条書きで注意点を3つ教えて下さい。

bot ・チャットAIの活用に関する法的な制約と規制を理解し、遵守することが重要です。特に、プライバシー法やデータ保護法に基づいて、ユーザーのデータ収集、保存、処理、共有に関する要件を満たす必要があります。
・チャットAIの使用によって発生する潜在的な法的リスクを評価し、適切な対策を講じる必要があります。例えば、誤った情報の提供や法的アドバイスの誤解釈による損害など、ユーザーに対する潜在的な責任を最小限に抑えるための対策を検討する必要があります。
・法的な契約や利用規約を明確に定義し、ユーザーとの関係を明示することが重要です。ユーザーがチャットAIを使用する際の責任、制限、免責事項などを明確に提示し、双方の権利と義務を保護するための法的な枠組みを整える必要があります。

3. より具体的な事業内容をChatGPTに説明することで、より適した回答を述べてくれます。単なるチャットAIでなく「株取引をサポートするチャットAI」とすると回答が変わってきます。

自分 私たちは、株取引をサポートするチャットAIの新規事業を立ち上げようとしています。
「開発者」の視点から箇条書きで注意点を3つ教えて下さい。
200文字以内でお願いします。

bot ・株取引に関する正確な情報と高度な予測能力を提供するために、適切なデータソースとアルゴリズムの選定が重要です。信頼性の高いデータプロバイダや市場のトレンドを把握するためのリアルタイムデータへのアクセスが必要です。
・株取引の規制や法的要件に十分に理解し、準拠する必要があります。金融業界では厳格な規制があり、証券取引や情報の配信に関する法律や規則を遵守することが求められます。
・プライバシーとセキュリティに対する高いレベルの配慮が必要です。取引データやユーザーの個人情報を保護するための強固なセキュリティ対策を講じるとともに、適切なデータの暗号化、アクセス制御、監査機能の実装が重要です。ユーザーの信頼を築くために、セキュリティへの取り組みを積極的に示す必要があります。

誰の視点かを明示しよう

ChatGPT と会話する際には、**「誰」の視点で回答してほしいのかを明示することが重要**です。専門家としての回答を指示すれば専門家としての回答、一般消費者としての回答を指示すれば一般消費者としての回答を返してくれます。ChatGPT はインターネット上にある大量のテキストを学習しているため、何も指定しないとインターネット全体の総意の平均となる、ぼんやりした回答が返ってきます。

6.8 会議メモから議事録を作成してもらう

概要

会議中は交渉に集中するため、重要なことをメモだけで済ます人も多いかと思います。

そのメモから議事録を作成しなければならない時、ChatGPT が役立ちます。

決められたフォーマットがあるのであれば、そのフォーマットを指定することで、それに応じて出力することができます。

使い方

1. ChatGPT に会議メモからの議事録の作成を作成します。

自分 次の会議メモを議事録風の文章に書き直してください。

・田中、今月の利益が 50% 増加
・鳥坂、現在見つかってる不具合が 3 つある
・大戸島、不具合を修正するには 1 週間必要
・堀川、ベータテストはほぼ完了

bot 日付 : [会議の日付]
出席者 :
・田中
・鳥坂
・大戸島
・堀川
議題 : プロジェクト進捗の報告と課題の検討
議事録 :
会議は [会議開始時刻] に始まりました。出席者全員が出席してい

ます。
田中からは、今月の利益が前月比で 50% 増加したことが報告されました。この成果により、我々の努力が実り、経済的な成果を上げることができました。
次に、鳥坂からは、現在確認されている不具合が 3 つあることが報告されました。これらの不具合はプロジェクトの進捗に影響を与えており、修正が必要です。
大戸島は、不具合を修正するためには 1 週間の期間が必要であることを説明しました。この期間を確保することで、不具合を適切に修正し、プロジェクトの進捗を正常化することができます。
最後に、堀川からは、ベータテストがほぼ完了したことが報告されました。これは我々の開発チームの優れた成果であり、利益増加に寄与すると期待されます。
議論や提案事項はありませんでした。
会議は [会議終了時刻] に終了しました。
次回の会議の日時や議題は、後日連絡される予定です。

音声の文字起こしからの議事録作成

今回は、会議メモからの議事録の作成を行いましたが、音声の文字起こしからの議事録作成でも ChatGPT は使われています。昨今の人工知能の発展により、音声からの文字起こしの精度が飛躍的に上がりました。ChatGPT の開発元である OpenAI は、「Whisper」という文字起こしの人工知能をオープンソースで公開しています。

6.9 アイディアの利点と欠点を洗い出してもらう

概要

アイディアには、利点だけや欠点だけの偏ったものは少なく、多くは利点と欠点が両方あります。**討論**などでは、たまたま目に入った利点だけを見て賛成したり、たまたま目に入った欠点だけを見て反対するような人もいますが、あまり建設的とは言えません。

ChatGPT にアイディアの利点と欠点を洗い出してもらうことで、より建設的な登録が可能になります。

使い方

1. ChatGPT にアイディアの利点と欠点を洗い出してもらいます。

自分

次のアイディアの利点と欠点を洗い出してください。
選挙のインターネット投票

bot

選挙のインターネット投票の利点と欠点を以下に示します。

利点：

1. 便利さとアクセシビリティ：インターネット投票は、有権者にとって非常に便利でアクセスしやすい手段です。有権者は自宅やオフィスなどの場所から、時間や場所に制約されることなく投票できます。これにより、遠く離れた地域や海外に住んでいる人々も簡単に参加できます。
2. コスト削減：インターネット投票は、伝統的な投票方法と比較して、選挙の実施にかかるコストを削減する可能性があります。紙の投票用紙や選挙所の設置、人員の配置など、多くの物理的なリソースが不要になります。

3. 迅速な結果の提供：インターネット投票は、結果の集計と報告を迅速化する可能性があります。従来の手法では、投票箱を開け、手作業で集計する必要がありましたが、インターネット投票では自動的に結果を集計できます。これにより、選挙結果をより早く公表し、候補者や有権者の不安を軽減できます。

欠点：

1. セキュリティの懸念：インターネット投票は、ハッキングや不正アクセスのリスクにさらされる可能性があります。適切なセキュリティ対策が講じられない場合、投票結果が改ざんされる可能性があります。投票システムのセキュリティを確保するためには、強力な暗号化、認証、監視などの対策が必要です。
2. デジタル格差：インターネット投票は、デジタル技術へのアクセスが制限されている人々にとって不利になる可能性があります。インターネット接続が利用できない地域や高齢者など、テクノロジーに不慣れな人々は、投票の機会を失うことになります。デジタル格差が解消されるまで、インターネット投票を導入することには慎重になる必要があります。
3. 匿名性の損失：インターネット投票では、投票者の匿名性が損なわれる可能性があります。オンライン環境では、投票の際に識別情報を提供する必要がある場合があります。これにより、個人のプライバシーが侵害される可能性があります。匿名性は選挙の重要な要素であるため、投票の信頼性と公正性を確保するための対策が必要です。

以上が、選挙のインターネット投票の一般的な利点と欠点です。このようなシステムを実装する場合は、セキュリティとプライバシーへの配慮、デジタル格差の是正、信頼性の向上など、さまざまな側面を考慮する必要があります。

2. 欠点の解決策も聞いてみます。

欠点の解決策はありますか？

選挙のインターネット投票に関する欠点を解決するためのいくつかの解決策があります。以下にいくつかの例を挙げます。

1. セキュリティ対策の強化：インターネット投票システムのセキュリティを確保するために、最新のセキュリティ技術や暗号化プロトコルを使用する必要があります。ハッキングや不正アクセスを防ぐために、二要素認証やバイオメトリクスなどの追加の認証手法を導入することも検討されます。また、専門家やエンジニアからなるセキュリティチームが、システムの監視や脆弱性の検出と修正を行うことも重要です。
2. デジタル格差の是正：デジタル格差を克服するために、選挙当局は、インターネット接続が利用できない地域やテクノロジーに不慣れな人々を対象に、オンライン投票以外の代替手段を提供することが重要です。例えば、伝統的な投票所を維持しながら、オンライン投票をサポートする方法を検討することができます。
3. 匿名性の確保：インターネット投票において匿名性を確保するためには、投票者の個人情報と投票データの分離が重要です。個人情報と投票データを別々のデータベースに保存し、十分なセキュリティ対策を講じることで、個人のプライバシーを保護することができます。また、匿名性を犠牲にすることなく、投票の正当性と信頼性を確保するために、監査可能性のあるシステムや暗号プロトコルを導入することも考慮されます。

ChatGPTに頼むべき仕事は？

ChatGPT に頼むべき仕事は、依頼者本人が ChatGPT の回答を見て正しいかどうか判断できるものになります。具体的には、「アイディア出し」のように提案してもらう仕事や、プログラマーであれば「プログラム部品の作成」のようにできるけど面倒な仕事になります。
正しいかどうかわからない回答を返す仕事を頼んでもよいですが、その際は、依頼者本人が正しいかどうかを確認するようにしましょう。新入社員に仕事をまかせる上司と同じですね。

6.10 Excelでやりたいことができる関数を教えてもらう

概要

ChatGPT は、Excel 関数も得意です。Excel の関数は、Excel で使用される事前定義された数学的な演算操作を実行するための機能です。これまで、Excel の関数を覚えなければ、数学的な演算操作は実行できませんでした。

しかし、ChatGPT を使えば、人間の言葉を Excel の関数に翻訳してくれるため、何も覚えなくても数学的な演算操作を使うことができます。

使い方

1. ChatGPT に Excel でやりたいことができる関数を教えてもらいます。今回は、B1 から B3 までの合計を計算する関数を作ってもらいます。

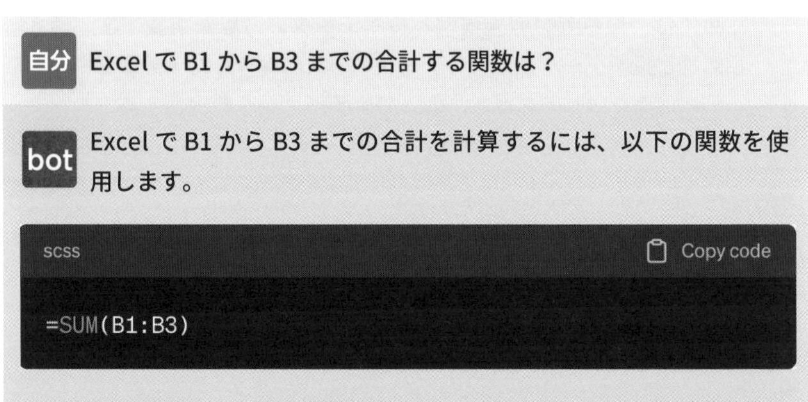

自分 Excel で B1 から B3 までの合計する関数は？

bot Excel で B1 から B3 までの合計を計算するには、以下の関数を使用します。

scss　Copy code

```
=SUM(B1:B3)
```

この関数は、指定した範囲（B1 から B3 まで）のセルの値を合計します。セル範囲を指定するために、コロン（:）を使用して始点と終点を区切ります。SUM 関数は、指定した範囲内の数値を合計して結果を返します。
右上の [Copy code] をクリックすると、Excel 上で貼り付け可能です。

2. 「Excel」に関数を使って動作確認してみます。

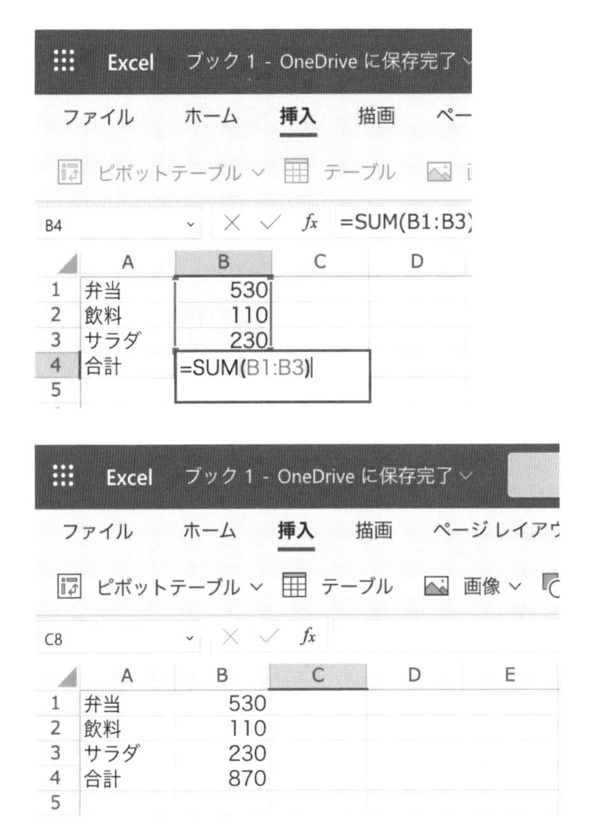

3. 逆に、知らないExcelの関数の意味を教えてもらうこともできます。

自分 次のExcelの関数の意味は何ですか？
PRODUCT(B1:B3)

bot PRODUCT(B1:B3)は、指定された範囲（B1からB3まで）のセルの値の積を計算するためのExcelの関数です。

この関数は、指定した範囲内の数値をすべて掛け合わせて結果を返します。つまり、B1、B2、B3の値をそれぞれ掛け合わせた値が返されます。

例えば、B1 が 2、B2 が 3、B3 が 4 の場合、PRODUCT(B1:B3) の結果は 2 × 3 × 4 = 24 となります。

PRODUCT 関数は、数値データの積を計算する際に便利です。

ChatGPTはMicrosoft の製品に詳しい

ChatGPT は、Microsoft の製品である Windows や Office などの使い方について非常に詳しいです。OpenAI と Microsoft はパートナーシップを結んでおり、そのため ChatGPT は Microsoft の情報を多く学習しています。近い将来、Microsoft の製品の多くに、ChatGPT が搭載されることも発表されています。

6.11 データベース検索のクエリを作成してもらう

概要

ChatGPTは、**データベースのクエリ**の作成も得意です。クエリは、データベースから情報を取得するために使用される命令のことです。これまで、データベースのクエリの書き方を覚えなければ、データベースからの情報は取得できませんでした。

しかし、ChatGPTを使えば、人間の言葉をクエリに翻訳してくれるため、何も覚えなくてもデータベースから情報を取得することができます。

使い方

1. ChatGPTにデータベースのクエリの作成してもらいます。今回は、テーブル「Employee(id, name, age)」から、年齢が30歳以上の従業員の情報を取得するクエリを作成してもらいます。

自分

データベースのテーブルは次のとおりです。
Employee(id, name, age)
年齢が30歳以上の従業員をリストするクエリを書いてください。

bot

以下は、年齢が30歳以上の従業員をリストするためのSQLクエリの例です。

```sql
SELECT * FROM Employee WHERE age >= 30;
```

このクエリは、"Employee"テーブルから、"age"列が30以上の行を選択しています。SELECTステートメントの後にアスタリスク(*)を使用することで、選択された行のすべての列を表示します。

必要に応じて、SELECT ステートメント内のカラム名を変更することもできます。

2. 次に、名前が山田の従業員を取得するクエリを作成してもらいます。

自分 名前が山田の従業員を取得するクエリを書いてください。

bot 以下は、名前が「山田」の従業員の年齢を取得するための SQL クエリの例です。

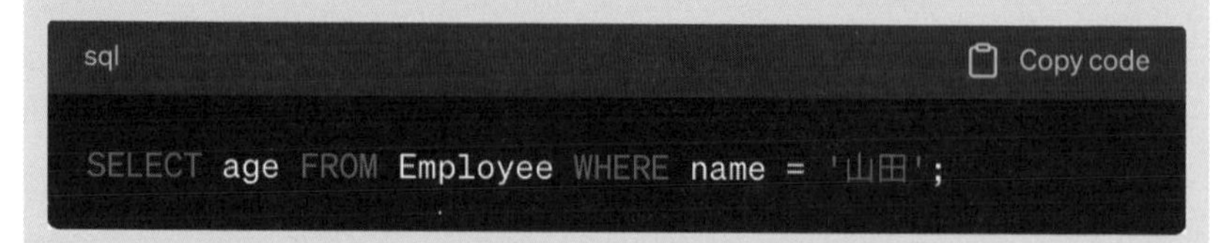

sql
Copy code
SELECT age FROM Employee WHERE name = '山田';

このクエリは、「Employee」テーブルから、名前が「山田」と一致する行を選択し、その行の「age」列を表示しています。必要に応じて、SELECT ステートメント内のカラム名を変更することもできます。

データベースとは？

データベースは、情報 (データ) を整理して保存するためのシステムです。データはテーブルと呼ばれる表の形式で保存します。データベースを使うことで、たくさんの情報を効率的に管理できるようになります。

6.12 プログラムを説明してもらいさらに修正をお願いする

概要

他の人から引き継いだプログラムのコードが、どんな処理を行っているかわからなくて困ったという経験はないでしょうか？そんな時は、ChatGPT の助けを借りましょう。ChatGPT にコードを見せるだけで、どんな処理を行っているかを瞬時に説明してくれます。さらにはコードの読みやすさを向上させる作業も行ってくれます。

使い方

1. ChatGPT にプログラムの説明をお願いします。プログラムは、「```<**プログラミング言語**>」と「```」で囲みましょう。

自分 次のプログラミングが何の処理を行っているか解説してください。

```python
import re
result = re.sub(r'( 猫 | ネコ | ねこ )', ' 犬 ', ' 吾輩は猫である ')
print(result)
```

bot このプログラムは、正規表現を使用して文字列の中の特定のパターンを検索し､指定された置換文字列に置き換える処理を行っています。

具体的には、re モジュールをインポートし、re.sub() 関数を使用しています。re.sub() 関数は、指定したパターンに一致する部分を別の文字列で置換するために使用されます。

Part 6 仕事

re.sub() 関数の引数は次の通りです：
・第一引数 ('(猫|ネコ|ねこ)')：置換対象のパターンを表す正規表現パターンです。猫、ネコ、ねこのいずれかに一致する文字列を検索します。| は正規表現における「または」の意味です。
・第二引数 ('犬')：置換後の文字列です。置換対象の文字列が見つかった場合に、これに置き換えられます。
・第三引数 ('吾輩は猫である')：対象の文字列です。この文字列内でパターンを検索し、置換処理を行います。

プログラムの実行結果は、次のようになります：

```
吾輩は犬である
```

元の文字列 '吾輩は猫である' に含まれる '猫' という文字列が '犬' に置き換えられています。つまり、置換処理が行われ、新しい文字列 '吾輩は犬である' が出力されます。

2. このコードを**リファクタリング**してもらいましょう。リファクタリングとは、コードの機能や動作を変更することなく、コードの読みやすさを向上させるための作業のことです。

自分 このコードをリファクタリングしてください。

bot 次のコードは、与えられたプログラムをリファクタリングしています。

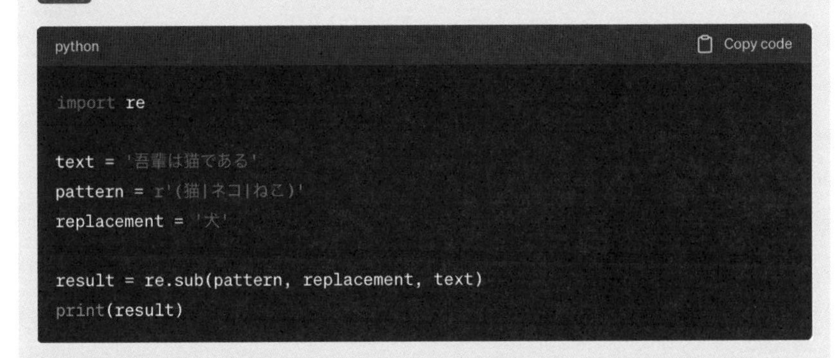

```python
import re

text = '吾輩は猫である'
pattern = r'(猫|ネコ|ねこ)'
replacement = '犬'

result = re.sub(pattern, replacement, text)
print(result)
```

このリファクタリングでは、以下の変更が行われました：

1. 文字列 ' 吾輩は猫である ' は、変数 text に代入されました。これにより、後のコードの可読性が向上しました。
2. 正規表現パターン ' 猫 | ネコ | ねこ ' は、変数 pattern に代入されました。変数名を使うことで、パターンが何を表すのか分かりやすくなりました。
3. 置換後の文字列 ' 犬 ' は、変数 replacement に代入されました。変数名がより具体的になりました。
4. re.sub() 関数の引数には、変数を使用しました。これにより、コードの意図がより明確になりました。

このリファクタリングにより、コードの可読性と保守性が向上しました。変数名が意味を持ち、コードの目的がより明確になりました。

GitHub Copilot

プログラミングを AI で支援するツールとして **GitHub Copilot**（ギットハブ・コパイロット）があります。
GitHub Copilot は、OpenAI と GitHub が共同開発した人工知能によるプログラミング開発支援ツールです。「コードの自動補完」や「コメントからのコード生成」などの機能を提供し、開発者が素早く正確なコードを作成できるように支援します。Python、JavaScript、TypeScript、Ruby、Go、C#、C++ などのプログラミング言語に対応しています。

Part 7

ChatGPT Plus

7.1 ChatGPT Plusの使い方

ChatGPT Plusとは

ChatGPT Plus は **ChatGPT の有料版**です。ChatGPT は無料で利用できますが、ChatGPT Plus にアップグレードすることで、より高性能な機能を利用できます。

ChatGPT Plus のメリットは、次のとおりです。

・利用者が多い時間帯でも安定して動作
・応答速度の向上
・プラグインなどの最新機能を利用可能

2023 年 6 月現在、無料版の ChatGPT で使える AI モデルは **GPT-3.5** のみですが、ChatGPT Plus では **GPT-4** も選択できます。GPT-4 は GPT-3.5 より圧倒的に言語理解力があり、高品質な回答を返してくれます。

さらに、「Web ブラウザ版」の GPT-4 では、ChatGPT の拡張機能である **ChatGPT プラグイン**も利用できるようになります。**プラグイン**とは、アプリに追加する拡張機能のことで、ChatGPT に知識と計算の能力を与えることができます。

料金は次の通りです（2023 年 6 月現在)。

・Web ブラウザ版 : 月 20 ドル (1 ドル 145 円換算で約 2,900 円)
・iPhone アプリ版 : 月 3,000 円

ChatGPT Plusへのアップグレード手順

ChatGPT Plusへのアップグレード手順は、次のとおりです。

■ Webブラウザ版

1. 「Upgrade to Plus」をクリック。

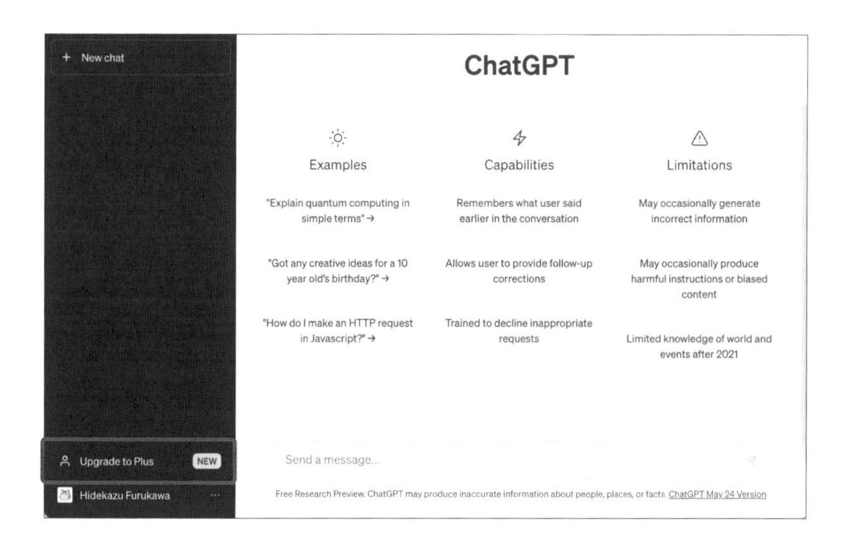

2. 「Upgrade plan」をクリック。

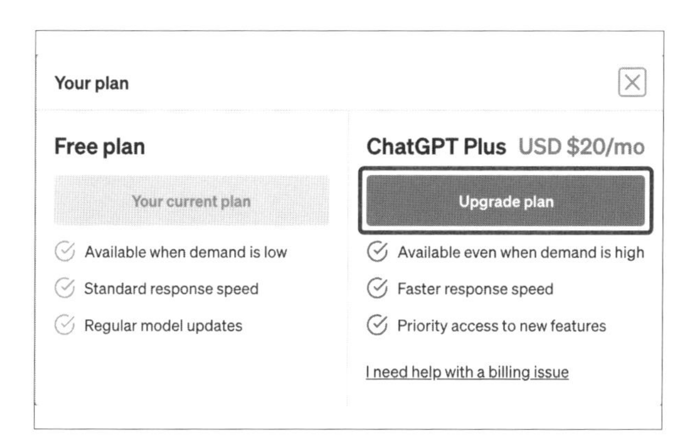

3. 料金を確認後、カード情報を入力して、「申し込む」ボタンを押す。

■ iPhone アプリ版

1. 「Upgrade to ChatGPT Plus」をタップ。

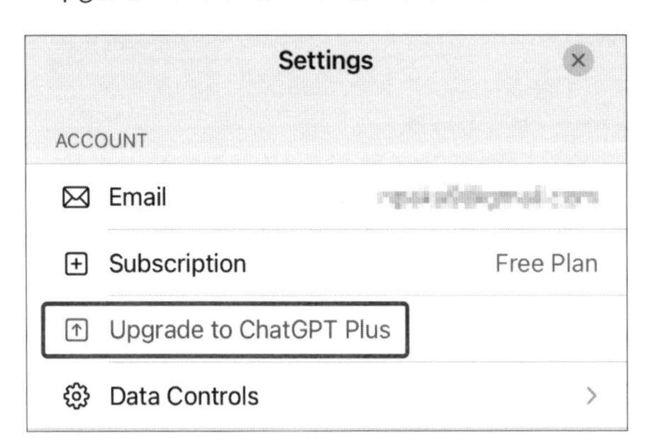

2. 「Subscribe」をタップし、料金を確認後、iPhone のサイドボタンのダブルタップで決定。

ChatGPTのモード切り替え

アップグレード後に、トップ画面で「GPT-3.5」と「GPT-4」を切り替えできるようになってます。

クリップ（タップ）で切り替える

さらに、Web ブラウザ版の GPT-4 は、「Default」「Browse with Bing」「Plugins」の 3 つのモードを切り替えできます (iPhone 版は 2023 年 6 月現在「Default」のみ、次ページ参照)。

設定画面である「Setting」の「Beta features」(ChatGPT プラグインの設定)で、「Browse with Bing」と「Plugins」を ON にしてください。

以下は「GPT-4」選択時に切り替えられるようになります。

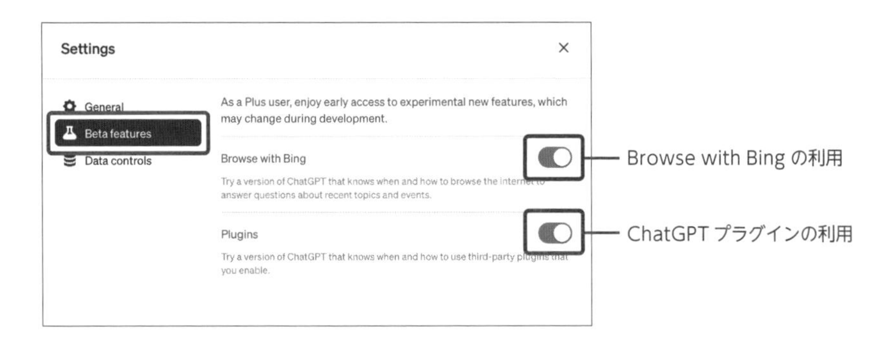

- **Default** は、通常の「GPT-4」(Bing やプラグインを使用しない)を利用するモードです。
- **Browse with Bing** は、必要に応じて「Bing」(Web 検索)を利用するモードで、「Browse with Bing」を選択するのみで利用できます。ただし、他のプラグインと同時に利用することはできません。
- **Plugins** は、必要に応じて「ChatGPT プラグイン」を利用するモードです。

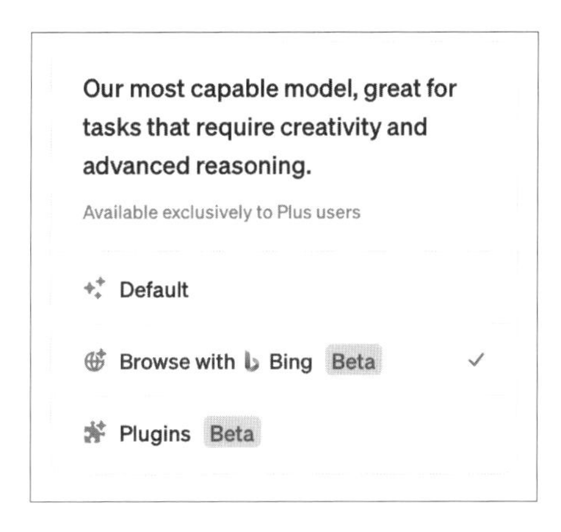

ChatGPTプラグインとは

ChatGPT プラグインは、ChatGPT に追加できる拡張機能です。これを使うことで、事前学習した知識だけを使って会話していた ChatGPT に、外部の「知識」や「計算能力」を追加することができます。

- リアルタイム情報の取得（スポーツスコア、株価、最新ニュースなど）
- 知識ベース情報の取得（会社のドキュメント、個人的なメモなど）
- ユーザーに代わって行動を実行（フライトの予約、食べ物の注文など）

ChatGPT プラグインはまだベータ版 (製品リリース前のテスト版) ですが、既にさまざまな会社からたくさんのプラグインが提供されています。

プラグインはいくつでもインストールできますが、チャット時に有効化できるプラグインは３つまでです。

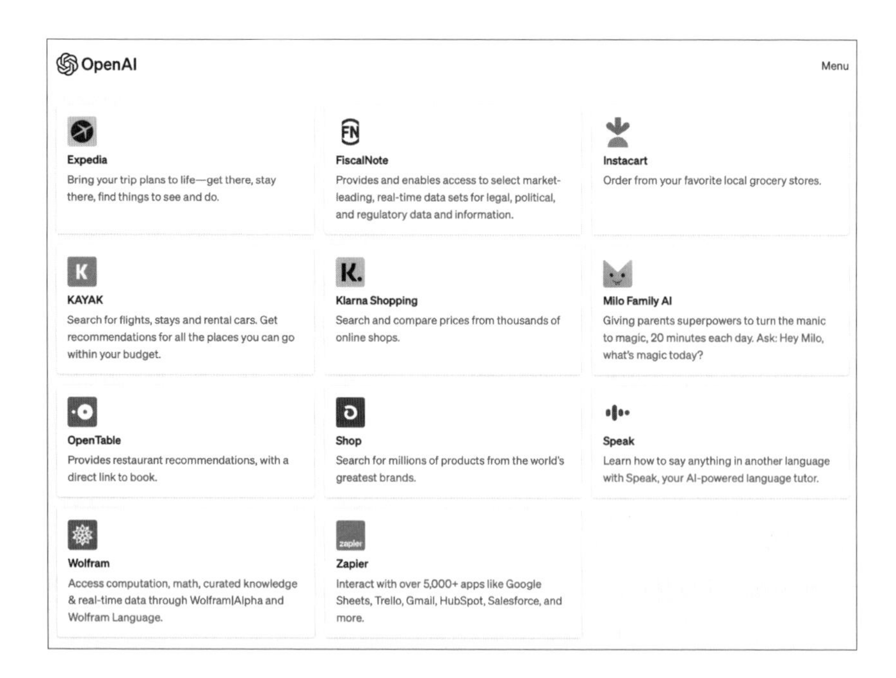

ChatGPTプラグインのインストールと有効化

ChatGPT プラグインを利用するには、「ChatGPT プラグイン」のインストールと有効化が必要です。

1. ChatGPT Plus のトップ画面で、「GPT-4」の「Plugins」を選択。

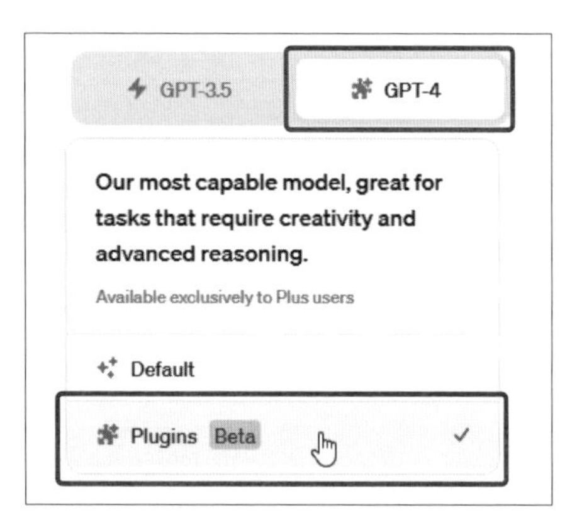

2. 「No plugins enabled」をクリック後、「Plugin store」をクリック。次の画面で [OK] をクリックするとさまざまなプラグインが表示されます。

プラグインをインストールすると、「No plugins enabled」には、プラグインのアイコンが並びます。

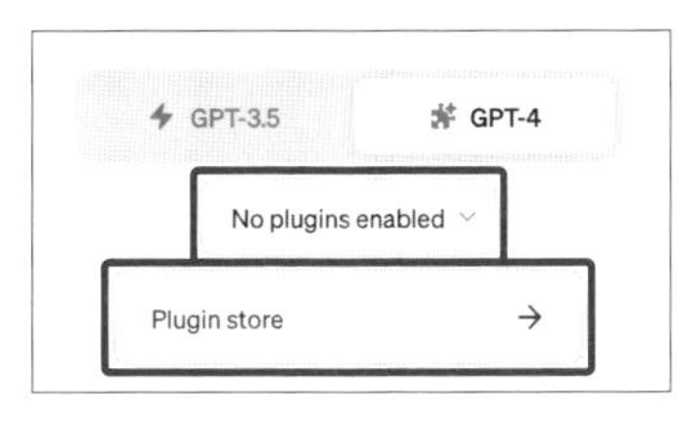

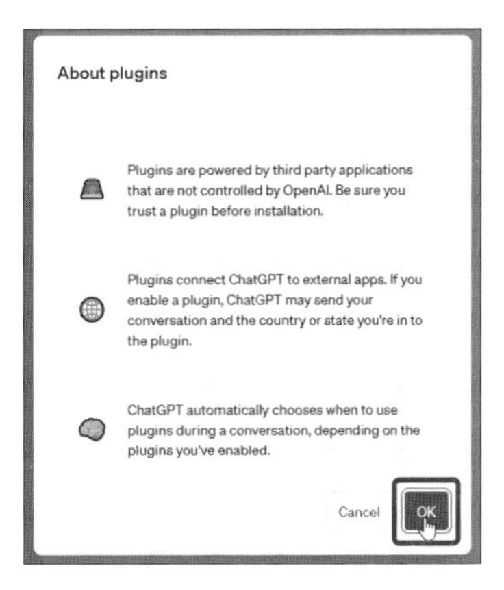

3. ChatGPT プラグインの一覧から必要なプラグインを見つけ、「Install」をクリック。

下の画面では、任意の Web ページの情報を取得するプラグイン WebPilot の「Install」を選択しています。

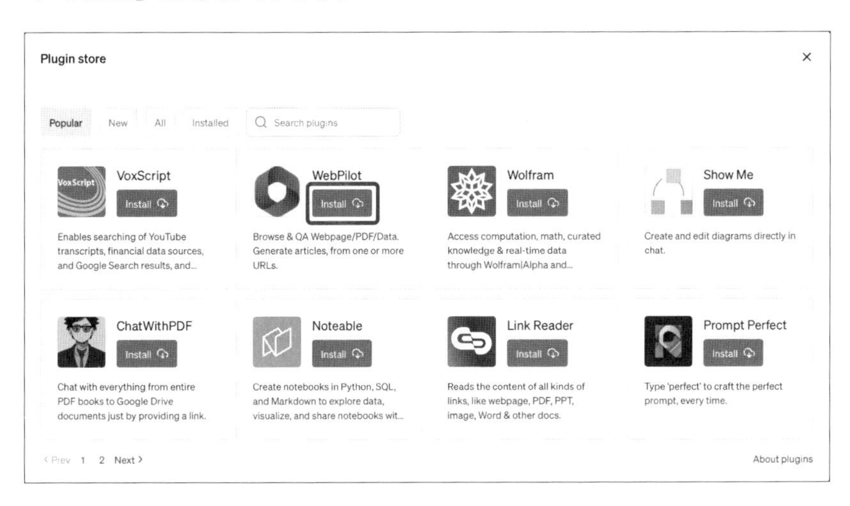

4. ChatGPT のトップ画面のプラグイン一覧で、使用するプラグインを有効化。

「GPT-4」の「Plugins」の選択時に**プラグインのアイコンをクリック**すると、インストールされているプラグイン一覧が表示されます。このプラグイン一覧の中から有効化するプラグインを選択 (青いチェックマークが付きます) します。**最大 3 つまで有効化**できます。

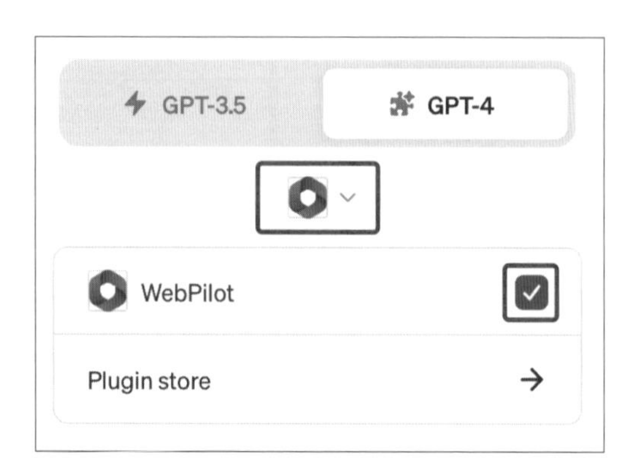

これで、**ChatGPT プラグインのインストールと有効化が完了**です。あとは、いつも通り ChatGPT で会話するだけです。必要に応じて ChatGPT が「ChatGPT プラグイン」を使用して回答します。

GPT-4 はどれくらい頭いい？

GPT-4 は GPT-3.5 より高性能です。体感としては、ChatGPT-3.5 は勉強のできる高校生に仕事を頼む感覚なのに対し、GPT-4 は勉強のできる新社会人に仕事を頼む感覚です。さらに、GPT-4 はたくさんの物語を学習したのか想像力も豊かで、クリエイティブな仕事は GPT-3.5 よりはるかに優秀です。
仕事で ChatGPT を使いたい場合は、GPT-4 をおすすめします。

7.2 Web検索の結果を利用する

概要

ChatGPT に自身で Web 検索して情報収集してほしい時は **Browse with Bing**（ブラウズ ウィズ ビング）**プラグイン**が役立ちます。「Browse with Bing」は、ChatGPT 自身が Microsoft の検索エンジン Bing を使って Web 検索を行うプラグインになります。これによって、ChatGPT の質問応答が苦手という弱点を克服できます。

Browse with Bing は、「GPT-4」の「Browse with Bing」を選択することで利用できます。

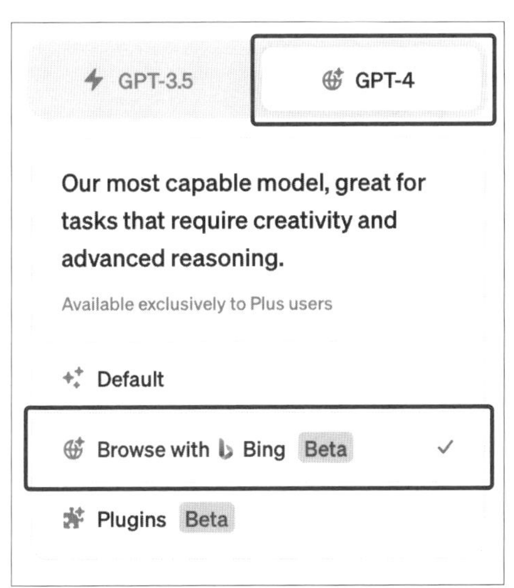

使い方

1. ChatGPTにWeb検索しないと答えられなさそうなことを質問します。

今回は、今日の東京の天気を質問してみました。ChatGPT は 2021 年までの情報しか学習してないので、今日の情報を知るには検索する必要があります。

回答には**「1」のように数字が付いている**場合があります。その数字をクリックすると、情報源の Web ページを確認できます。

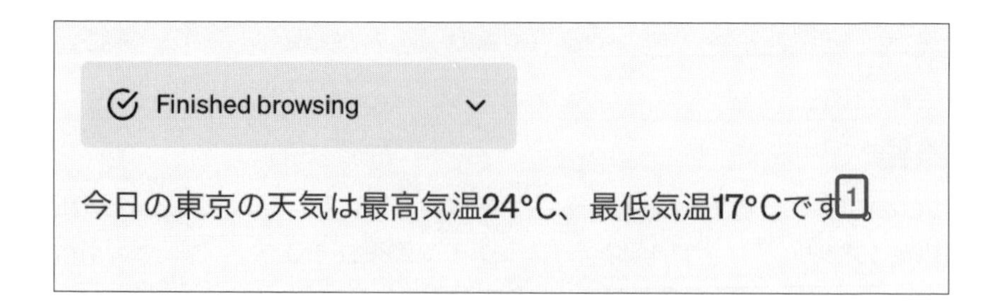

2. 今回の ChatGPT の回答の情報源は海外のお天気サイトでした。

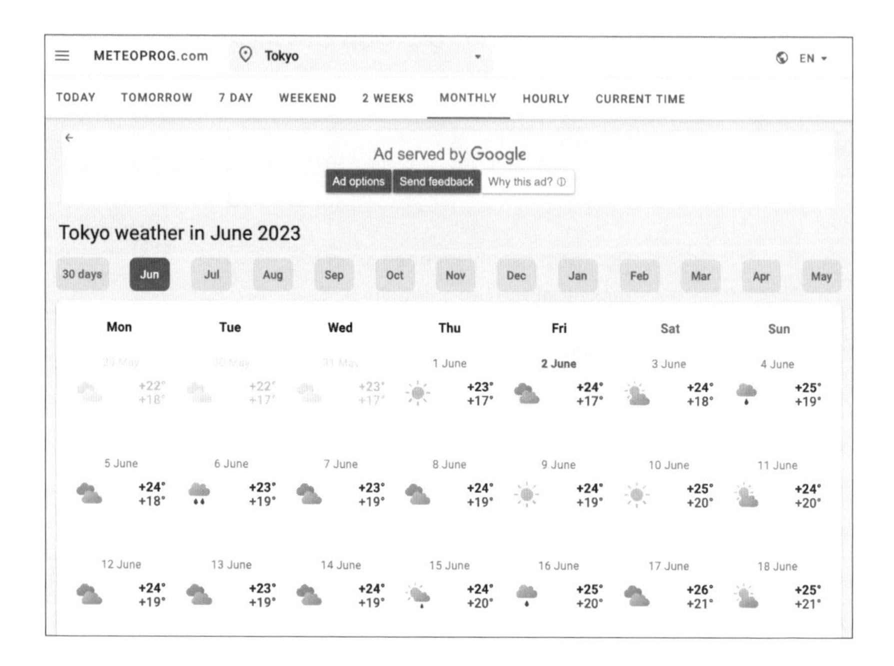

Bingって何？

Bingは、Microsoftの検索エンジンです。2023年2月にいち早くChatGPTの機能が組み込まれたことで話題になりました。対話形式で欲しい情報にアクセスしたり、Webページを要約してもらったりできるようになり、「検索」に変わる「チャット」による情報収集の体験が話題を呼びました。

・Bing
https://www.bing.com

7.3 知識データベースの検索結果を利用する

概要

Wolfram Alpha（ウルフラム アルファ）は、数学、科学、テクノロジー、社会・文化、日常生活など、さまざまな分野の情報を持つ知識データベースです。**Wolfram プラグイン**を使用することで、ChatGPT 自身がこの「Wolfram Alpha」を利用して情報収集することが可能になります。ChatGPT が Web 検索を使用できるようになっても、Web サイトの情報が誤っている場合、回答も誤る可能性があります。一方、Wolfram Alpha は厳選された正確な情報のみを提供するため、より正確な回答が期待できます。

プラグインのインストール

プラグインストアで「Wolfram」プラグインをインストールして有効化してください (インストールの詳細は 7.1 節の『ChatGPT プラグインのインストール使い方』で解説してます)。

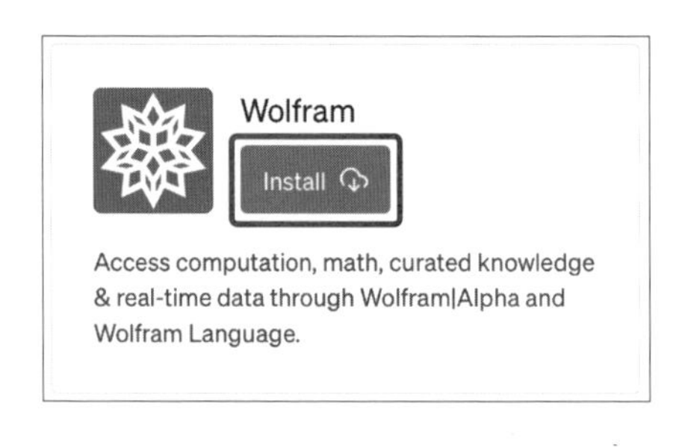

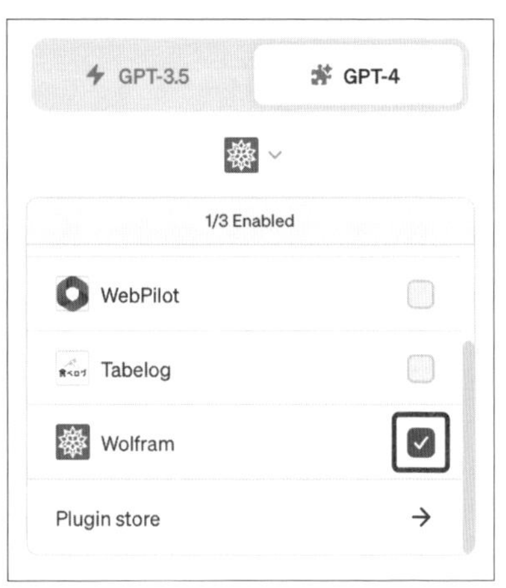

使い方

1. **数学的な計算はChatGPTが苦手なものの1つ**ですが、知識データベースを利用することで、正しく計算できます。

自分 **x^4+2x^3y-2xy^3-y^4 を因数分解してください**

bot

Used **Wolfram**

与えられた式 $x^4 + 2x^3y - 2xy^3 - y^4$ の因数分解は次のようになります：

$(x - y)(x + y)^3$

ChatGPT の解答は正解です。

2. 「Wolfram」プラグインは数式のグラフを表示することもできます。

自分 **次の数式をグラフで図示してください**
3x + y = 5
x + y = 3

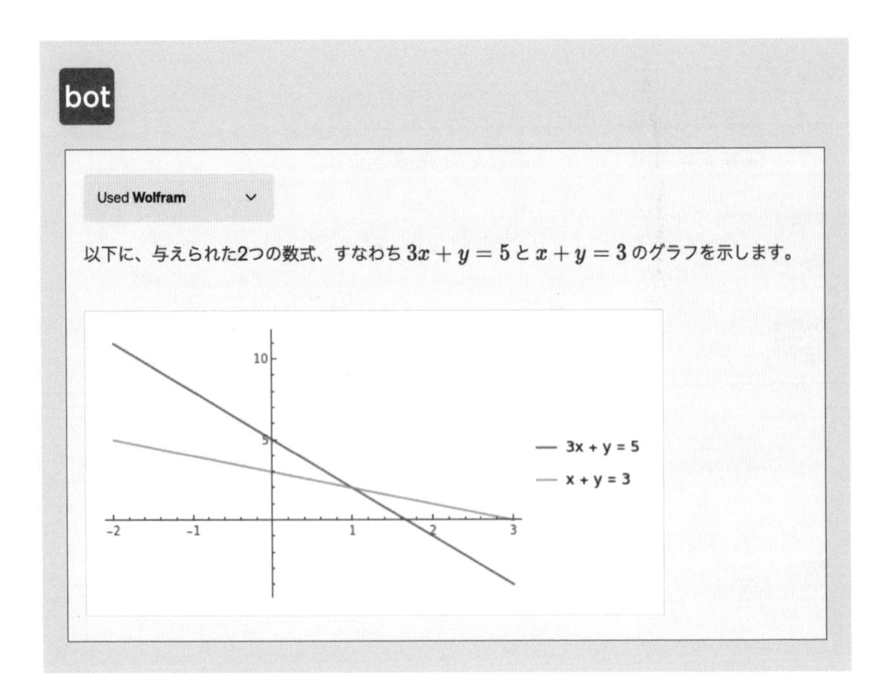

3. 歴史の問題を質問してみます。

自分 織田信長が死んだのは何年？

bot 織田信長は 1582 年に亡くなりました。

これも、正解です。

Wolfram Alphaで提供している情報

「Wolfram Alpha」でどんな情報を提供しているかは、Wolfram Alphaのサイトで確認できます。トップ画面の各分野をクリックすると、具体例が表示されます。また「Wolfram AlphaのWebサイト版」では、「数学」以外は日本語対応されていませんが、ChatGPT経由であれば日本語で利用できます。

・Wolfram Alpha
https://ja.wolframalpha.com

Part 7 ChatGPT Plus

7.4 特定のWebページの情報を利用する

概要

ChatGPT に、特定の Web ページの情報について聞きたい時には WebPilot (ウェブパイロット) プラグインが役立ちます。

WebPilot は、特定の Web に対して、要約、翻訳、質問応答などを行うことができるようになります。

プラグインのインストール

プラグインストアで「WebPilot」プラグインをインストールして有効化してください (インストールの詳細は 7.1 節の『ChatGPT プラグインのインストール使い方』で解説してます)。

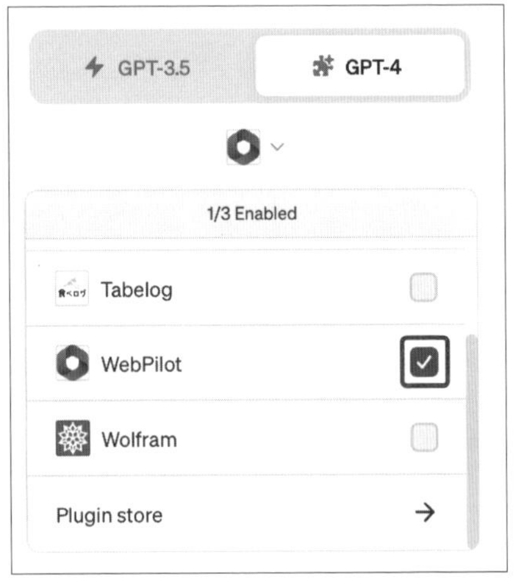

使い方

1. URL を指定して、質問します。

今回は野球の「大谷翔平」選手の Wikipedia のページを ChatGPT に読んでもらってから質問しています。

・大谷翔平選手の Wikipedia のページ

自分 以下の Web ページを読んで、質問に答えてください。
https://ja.wikipedia.org/wiki/%E5%A4%A7%E8%B0%B7%E7%BF%94%E5%B9%B3
「大谷翔平」選手の通った小学校は？

bot 「大谷翔平」選手は奥州市立姉体小学校に通っていました。

Wikipediaを読んで学習した答えが返ってきました。ただし、Wikipediaの内容が間違ってる場合は、それを正しいと思って答えるので注意してください。

Wikipediaって何？

Wikipediaは、世界中のボランティアの共同作業によって執筆および作成されているフリーの多言語インターネット百科事典です。

・Wikipedia
https://ja.wikipedia.org/

7.5 特定のPDF文書の情報を利用する

概要

ChatGPTに特定の PDF 文書に記載されている内容について質問したい時には **AskYourPDF プラグイン**が役立ちます。

「AskYourPDF」は、**指定した PDF ファイルに対して要約、翻訳、質問応答**などを行うことができるようになります。

プラグインのインストール

プラグインストアで「AskYourPDF」プラグインをインストールして有効化してください(インストールの詳細は 7.1 節の『ChatGPT プラグインのインストール使い方』で解説してます)。

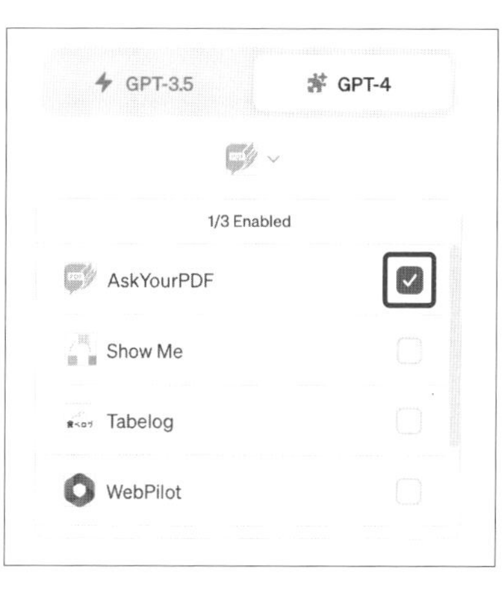

使い方

1. PDF の URL を指定して、質問します。

今回は、ChatGPT の AI モデルである「GPT-3 論文」の PDF を ChatGPT に読んでもらってから概要を説明してもらいます。

・GPT-3 の論文

arXiv:2005.14165v4 [cs.CL] 22 Jul 2020

Language Models are Few-Shot Learners

Tom B. Brown* Benjamin Mann* Nick Ryder* Melanie Subbiah*

Jared Kaplan† Prafulla Dhariwal Arvind Neelakantan Pranav Shyam Girish Sastry

Amanda Askell Sandhini Agarwal Ariel Herbert-Voss Gretchen Krueger Tom Henighan

Rewon Child Aditya Ramesh Daniel M. Ziegler Jeffrey Wu Clemens Winter

Christopher Hesse Mark Chen Eric Sigler Mateusz Litwin Scott Gray

Benjamin Chess Jack Clark Christopher Berner

Sam McCandlish Alec Radford Ilya Sutskever Dario Amodei

OpenAI

Abstract

Recent work has demonstrated substantial gains on many NLP tasks and benchmarks by pre-training on a large corpus of text followed by fine-tuning on a specific task. While typically task-agnostic in architecture, this method still requires task-specific fine-tuning datasets of thousands or tens of thousands of examples. By contrast, humans can generally perform a new language task from only a few examples or from simple instructions – something which current NLP systems still largely struggle to do. Here we show that scaling up language models greatly improves task-agnostic, few-shot performance, sometimes even reaching competitiveness with prior state-of-the-art fine-tuning approaches. Specifically, we train GPT-3, an autoregressive language model with 175 billion parameters, 10x more than any previous non-sparse language model, and test its performance in the few-shot setting. For all tasks, GPT-3 is applied without any gradient updates or fine-tuning, with tasks and few-shot demonstrations specified purely via text interaction with the model. GPT-3 achieves strong performance on many NLP datasets, including translation, question-answering, and cloze tasks, as well as several tasks that require on-the-fly reasoning or domain adaptation, such as unscrambling words, using a novel word in a sentence, or performing 3-digit arithmetic. At the same time, we also identify some datasets where GPT-3's few-shot learning still struggles, as well as some datasets where GPT-3 faces methodological issues related to training on large web corpora. Finally, we find that GPT-3 can generate samples of news articles which human evaluators have difficulty distinguishing from articles written by humans. We discuss broader societal impacts of this finding and of GPT-3 in general.

*Equal contribution
†Johns Hopkins University, OpenAI

Author contributions listed at end of paper.

自分 以下の PDF の概要を教えてください。
https://arxiv.org/pdf/2005.14165.pdf

bot この PDF は OpenAI による論文で、言語モデルが大量のデータセットを必要とせずに新たなタスクを学習できることを示しています。この論文は最近のインコンテキスト学習の発展に焦点を当て、言語モデルをスケーリングアップすることで、このフューショット設定でのパフォーマンスが大幅に向上することを示しています。1750億のパラメータで訓練された GPT-3 モデルは、さらなるファインチューニングや勾配の更新なしで、さまざまなタスクで強力なパフォーマンスを達成します。著者たちはまた、モデルがまだ苦労している領域を特定し、制限事項についても述べています。

さらに詳しい情報や特定の部分について質問があれば、お知らせください。

PDF を読んで概要が返ってきました。

英語の難しい論文でも、ChatGPT に頼めば簡単に要約して説明してもらうことができます。

PDFについて

PDF(Portable Document Format) は、Adobe が開発した電子文書ファイルです。OS やハードウェアに依存せず文章や図版を表示できるため、仕事の文書などでよく利用されています。

7.6 グラフを作成する

概要

ChatGPT に、情報やアイディアを図で視覚的にまとめてもらいたい時、Show Me Diagrams プラグインが役立ちます。「Show Me」は、ユーザーが入力した情報から、図を作成してくれるプラグインになります。図でまとめることで、文章をより理解しやすくすることができます。

プラグインのインストール

プラグインストアで「Show Me Diagrams」プラグインをインストールして有効化してください。(インストールの詳細は 7.1 節の『ChatGPT プラグインのインストール使い方』で解説してます)。

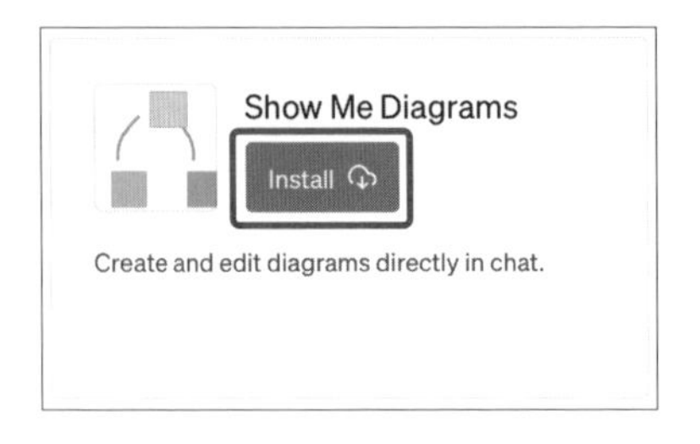

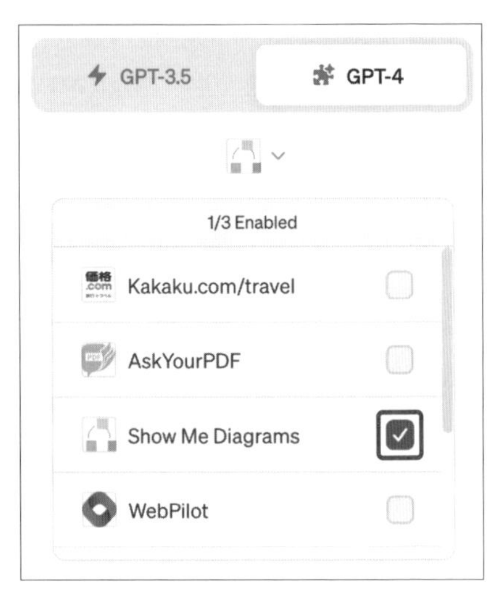

使い方

1. 織田信長と他の武将の関係を図でまとめてもらいます（英語の図にされがちのため、「日本語の図」と指示しています）。

自分 **織田信長と他の武将の関係を日本語の図でまとめてください。**

bot 以下に織田信長と他の武将の関係を示す図を表示します。

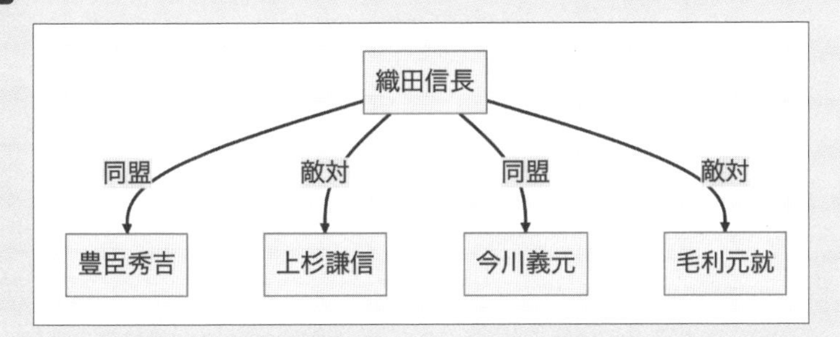

新しいタブでこの図を表示します。

この図をオンラインで編集したい場合はこちらからどうぞ。

この図は Mermaid 言語で作成したグラフタイプの図です。

図の改善のアイデアを見るには、"show ideas" というキーフレーズを使用してください。

他のタイプの図や言語を探索するには、"explore diagrams" というキーフレーズを使用してください。

・織田信長と徳川家康の間には友情がありました。
・織田信長は豊臣秀吉を信頼していました。
・しかし、明智光秀には本能寺の変で裏切られました。

2. 「この図をオンラインで編集したい場合はこちらからどうぞ。」をクリックすると、作成した図を編集できます。

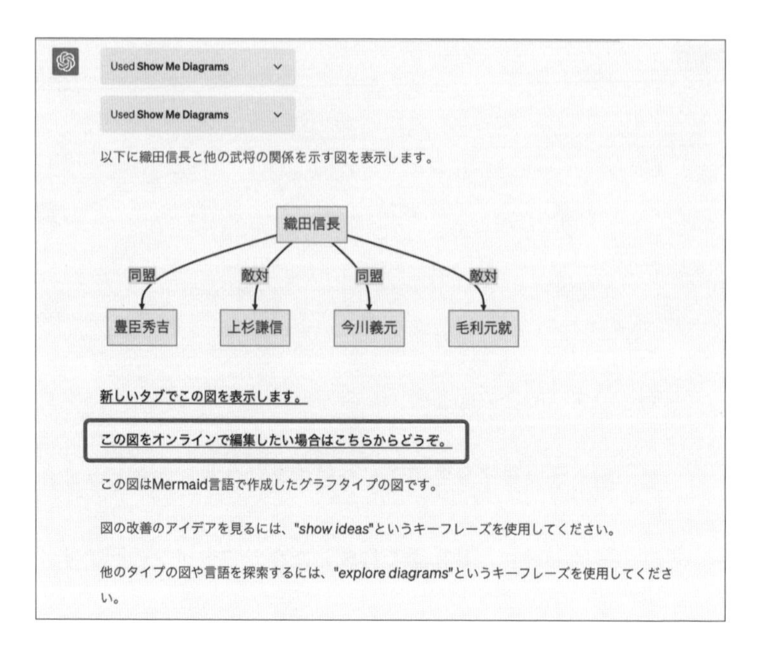

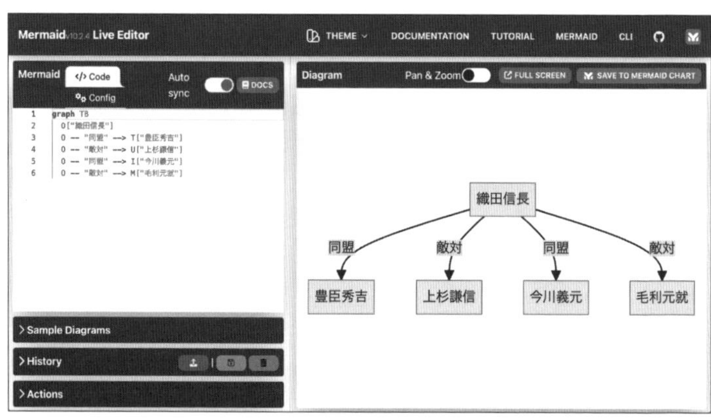

Show Me Diagramsで作成できる図の種類は？

「Show Me Diagrams」で作成できる図の種類は、「マーメイド記法」で表現できる図になります。マーメイド記法は、マーメイド(Mermaid)と呼ばれるテキストから図を作成するためのツールで使われている記法です。
上で紹介した以外にもさまざまな図に対応しています。

- フローチャート
- シーケンス図
- クラス図
- 状態図
- 円グラフ
- Gitグラフ
- ガントチャート
- ユーザージャーニー
- C4C

- Mermaid

https://mermaid.js.org

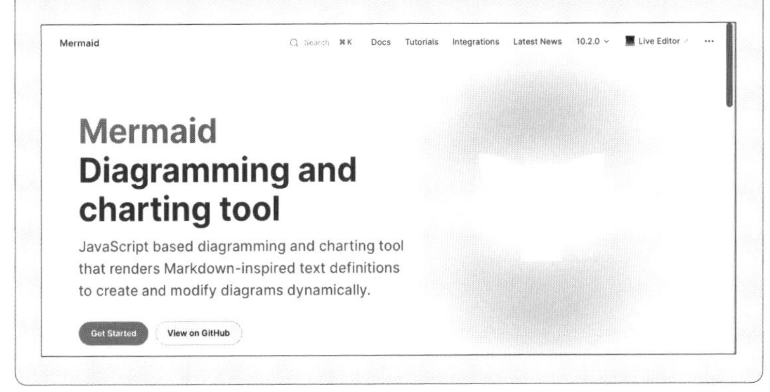

7.7 近所の飲食店の情報を利用する

概要

近所の飲食店の情報を利用したい時は、Tabelog プラグインが役立ちます。

「Tabelog」は、飲食店のレビューサイト「食べログ」の情報を使って、予約可能な店舗を検索するプラグインになります。

プラグインのインストール

プラグインストアで「Tabelog」プラグインをインストールして有効化してください (インストールの詳細は 7.1 節の『ChatGPT プラグインのインストール使い方』で解説してます)。

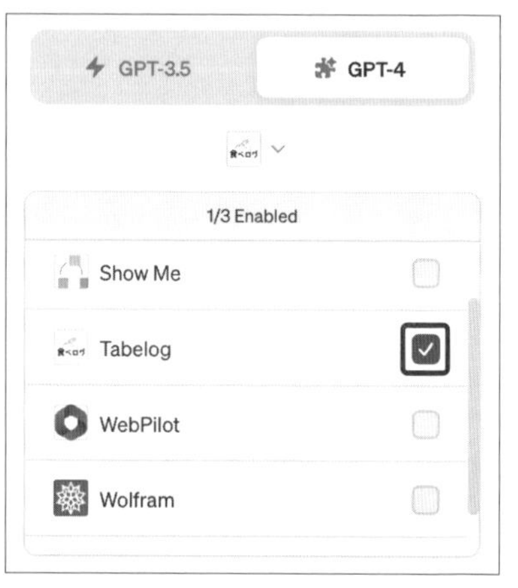

食べログって何？

「食べログ」は、飲食店のレビューサイトです。全国の飲食店情報がユーザーの口コミとがセットで提供されているのが特徴です。

・食べログ https://tabelog.com

使い方

1. 場所とジャンルを指定して、おすすめの飲食店を聞きます。

今回は、「御徒町周辺」の飲食店を質問しました（誌面では省略していますが、実際に存在するおいしい飲食店への URL リンクとサイト写真が表示されます）。

自分 御徒町周辺でおすすめの中華料理屋と予約可能な時間を教えて

bot 御徒町周辺でおすすめの焼肉店をいくつかご紹介します。

1. 中国料理 ●▽○ 御徒町本店
   - エリア : 湯島
   - ジャンル : 中華料理
   - 総合評価 : 4.03
   - 予約可能時間 : 18:30, 19:00, 19:30

2. 日時と予約人数を指定することもできます。

自分 御徒町周辺でおすすめの焼肉屋さんを教えて
7 月 7 日に 2 名で

bot 2023 年 7 月 7 日 19 時の予約を考慮した御徒町周辺の焼肉店をご紹介します。

1. とうきょう焼肉 ◎●
   - 総合評価：4.12
   - エリア：湯島
   - ジャンル：焼肉
   - 予約可能時間：18:45, 19:00, 19:15

索引

記号・英数字

あ・か行

さ・た行

な・は行

ま・や・ら行

［著者紹介］**布留川英一**（ふるかわひでかず）
1999年『JAVA PRESS』（技術評論社）にて、携帯アプリの開発方法の連載を開始。2001年、株式会社ドワンゴにて世界初のJava搭載携帯電話「503i」のローンチタイトル『サムライロマネスク』の開発に携わる。以後、新端末の新機能を活用したアプリを作りつつ、技術書を書き続け、18年で40冊ほどに。現在は株式会社ゼルペムにて、ヒトとAIの共生環境の実現を目指して、人工知能の研究開発に取り組んでいる。主な著書に『OpenAI GPT-4/ChatGPT/LangChain人工知能プログラミング実践入門』『BERT/GPT-3/DALL-E自然言語処理・画像処理・音声処理人工知能プログラミング実践入門』『OpenAI Gym/Baselines深層学習・強化学習人工知能プログラミング実践入門』（ボーンデジタル）など。

rassco / Shutterstock

［STAFF］
カバーデザイン：海江田 暁（Dada House）
制作：Dada House
編集担当：山口正樹

ChatGPT使いこなし＆活用術

2023年 7月27日　初版第1刷発行

著　者　布留川英一
発行者　角竹輝紀
発行所　株式会社 マイナビ出版
〒101-0003 東京都千代田区一ツ橋2-6-3 一ツ橋ビル2F
TEL：0480-38-6872（注文専用ダイヤル）
TEL：03-3556-2731（販売部）
TEL：03-3556-2736（編集部）
E-mail：pc-books@mynavi.jp
URL：https://book.mynavi.jp
印刷・製本　株式会社ルナテック

ISBN 978-4-8399-8418-2